Patrizia Cuvello – Daniela Gua
con la colaboración de Anna Pra

la buena alimentación sin gluten

a Lilli.

Desearíamos agradecer a la Asociación Italiana de Celiaquía y a la empresa Bi-Aglut las indicaciones, las recetas, los consejos y los modelos utilizados en las fotografías.
Un agradecimiento especial para Gianfranco Mazzia por su valiosa colaboración.
Y gracias también a Emanuela Stucchi y Emanuela Pagliato por las tablas de nutrición.

Traducción de Sonia Afuera Fernández.

Diseño gráfico de la cubierta de YES.

Fotografías de Marco Giberti.

Fotografías de la cubierta: © Thinkstock.

Diagonal 519-521, 2° - 08029 Barcelona
Depósito Legal: B-6.510-2012
ISBN: 978-84-315-5207-7

Editorial De Vecchi, S. A. de C. V.
Nogal, 16 Col. Sta. María Ribera
06400 Delegación Cuauhtémoc
México

Índice

Prólogo

Vivir con serenidad una condición particular como la de sufrir la enfermedad celíaca no es difícil. Una vez efectuado el diagnóstico correcto, bastará con seguir una terapia única y sencilla: una dieta rigurosamente carente de gluten asegura la desaparición total de los síntomas.

Así pues, el problema se limita a la adquisición de nuevos hábitos alimentarios. Sin duda, adaptarse a un régimen dietético impuesto, cambiar el modo de comer o acostumbrarse a nuevos gustos y métodos de cocina no resulta fácil, pero este cambio de vida no tiene que ser considerado un obstáculo imposible de superar. Llevar una dieta sin gluten no significa renunciar a una buena mesa, y cocinar sin gluten no comporta renunciar a divertirse entre fogones: algunos trucos nos permitirán preparar con total seguridad platos sustanciosos, sabrosos y variados.

La primera regla que hay que seguir es la de combinar con fantasía ingredientes, ideas y sabores: de este modo se obtendrán recetas siempre diferentes, únicas y personalizadas, divertidas de elaborar y apetitosas para todos.

En qué consiste la enfermedad celíaca

Se trata de una enfermedad genética que consiste en una intolerancia permanente a una proteína, el gluten, contenida en el trigo, la cebada, el centeno y otros cereales. La ingestión de estos alimentos provoca en los individuos que sufren esta enfermedad una respuesta autoinmune que causa alteraciones en las mucosas del intestino y genera graves disfunciones en el proceso de absorción de los principios nutritivos contenidos en los alimentos.

Si bien está ligada a factores genéticos, esta enfermedad puede manifestarse a cualquier edad y está estrechamente vinculada al contacto con el gluten: las alteraciones del intestino y las complicaciones que se derivan de ellas desaparecen por completo si se evitan los alimentos con gluten.

La incidencia de la enfermedad varía en las diferentes áreas geográficas en función de los distintos hábitos alimentarios. Se calcula que, en nuestro país, una de cada 200 personas pueden padecer la enfermedad, pero en muchos casos no es diagnosticada. Tan sólo hace unos años que se efectúan análisis de control en la población, y en realidad no se llevan a cabo en todos los países. Por lo demás, los síntomas de la enfermedad celíaca son muy diferentes, y van desde las formas más típicas hasta las menos evidentes y más difíciles de diagnosticar. Las manifestaciones clásicas de la enfermedad en los niños consisten en diarrea persistente, vómitos, barriga inflada, falta de apetito, irritabilidad, malabsorción de los alimentos y lentitud en el crecimiento. En los adultos, los síntomas son otros: anemia, problemas dentales y bucales, lesiones cutáneas, artritis y aumento de las transaminasas, acompañados a menudo de molestias intestinales. Incluso los casos menos evidentes podrían ser diagnosticados hoy mediante un *screening* de masa, con medios relativamente simples: es suficiente con una muestra de sangre en la que se perciba la eventual presencia de autoanticuerpos específicos; el resultado del examen, si es positivo, puede confirmarse con una biopsia intestinal en la que se descubran las alteraciones en la mucosa, características de la intolerancia al gluten, y el aplastamiento de las vellosidades intestinales.

La única terapia posible es, en cualquier caso, la eliminación completa y permanente del gluten de la dieta: no sólo se trata de evitar el trigo, la cebada, el centeno y sus derivados, sino también alimentos aparentemente insospechados, como la cerveza y muchos otros, y de prestar una especial atención a la hora de elegir los productos elaborados, sobre todo si son precocinados o congelados. Hoy en día, sustituir dichos alimentos por otros carentes de gluten no representa un gran problema, gracias en parte a la comercialización de harinas específicamente estudiadas y preparadas. Además, afortunadamente, se está difundiendo el conocimiento de la enfermedad, de modo que se reducen los inconvenientes que los celíacos deben afrontar a diario: restaurantes, bares y comedores escolares se están poniendo al día para dar respuesta a las exigencias de una dieta sin gluten.

LA ENFERMEDAD CELÍACA EN LA HISTORIA

El término *celíaco*, del griego *koiliakos*, adjetivo que significa «intestinal», fue utilizado en el siglo I d. de C. por el médico latino Celso para describir una afección intestinal. Los síntomas descritos en la obra de Areteo de Capadocia, que vivió entre los siglos I y II d. de C., son claramente identificables con los síntomas clínicos de la enfermedad celíaca. La enfermedad, por tanto, se conoce desde la Antigüedad, si bien las causas que la provocan no fueron determinadas hasta mediados del siglo XX: durante la Segunda Guerra Mundial, un médico holandés constató que al reemplazar el trigo por la patata, muchos pacientes afectados por graves molestias intestinales mostraban una evidente y rápida mejoría. De ahí a encontrar un posible nexo entre la enfermedad y la ingestión de cereales, el paso fue corto.

La intolerancia al gluten está confirmada hoy y codificada por la investigación. Los avances en el campo genético han permitido identificar con seguridad los anticuerpos responsables de la reacción inmunitaria típica de la enfermedad.

ASPECTOS HUMANOS Y SOCIALES DE LA ENFERMEDAD CELÍACA

La enfermedad celíaca constituye, sin duda, un problema debido a los síntomas que la caracterizan, que pueden llegar a ser graves, así como por los daños que puede provocar en el organismo. Sin embargo, quien sabiendo que es celíaco sigue una dieta adecuada vuelve objetivamente a recuperar la salud y a gozar de unas condiciones de absoluta normalidad: el problema de la enfermedad celíaca se convierte en un problema subjetivo y de relación con el mundo exterior. Todavía hoy, los celíacos tienen que enfrentarse diariamente a los inconvenientes que se derivan de su condición particular: salir a cenar o comer fuera, frecuentar restaurantes de comida rápida, comedores escolares o de empresa, viajar... puede resultar complicado; sin embargo, se está difundiendo una mayor sensibilidad hacia esta enfermedad, tanto en el ámbito de la salud pública (en algunos países la Seguridad Social proporciona gratuitamente los productos sin gluten) como en la industria y en la gran distribución de alimentos o en el sector de la restauración.

Enfermedad celíaca y adolescencia

Si bien para cualquier celíaco, en general, adaptar el propio ritmo de vida a las exigencias de la dieta puede constituir un inconveniente, para los adolescentes en particular puede llegar a ser un auténtico problema convivir con la enfermedad. Para un joven en edad de crecimiento es particularmente difícil aceptar los efectos de esta enfermedad en el organismo y, directa o indirectamente, en la esfera emotiva: depresión, desinterés, irritabilidad o incapacidad para concentrarse son consecuencias de la intolerancia a los alimentos, pero también del estado de frustración provocado por los propios síntomas del mal.

Aun cuando la situación del organismo se normaliza tras la eliminación del gluten, la tensión vinculada a los nuevos hábitos alimentarios y el miedo a ser marginado por el grupo de compañeros pueden incidir negativamente en el equilibrio psicofísico de los jóvenes. Especialmente para quien ha descubierto que es celíaco en la edad de desarrollo y no ha adquirido, por tanto, desde los primeros años de vida los hábitos que impone la enfermedad, convivir con la dieta puede resultar realmente molesto y provocar un rechazo en toda regla.

Así pues, es indispensable que la familia, y también el médico, ofrezcan ayuda al adolescente y le den todo el apoyo y la colaboración posibles para superar el periodo de crisis y adaptación y para evitar que se sienta diferente y marginado. En este sentido, una dieta que, aun siendo carente de gluten, sea variada y respete los gustos y las exigencias personales puede ofrecer mucho no sólo a los adolescentes, sino a cualquier persona afectada por la enfermedad celíaca.

Qué necesitamos saber

LA ENFERMEDAD CELÍACA, ENFERMEDAD AUTOINMUNE

En los individuos afectados por la enfermedad celíaca, la ingestión de alimentos con gluten provoca una respuesta inmunitaria que causa graves daños al intestino delgado. El estado de inflamación de la mucosa genera una progresiva desaparición de las vellosidades intestinales y, como consecuencia, una reducida capacidad para absorber los nutrientes. El proceso degenerativo conduce a un estado de malnutrición unido a síntomas de diversa gravedad, pero se interrumpe si se evita el contacto con el gluten: en este caso, las alteraciones en el intestino, al igual que los síntomas, desaparecen completamente.

La intolerancia al gluten, sin embargo, es permanente y no puede ser eliminada; incluso dosis reducidas de gluten pueden ser perjudiciales para un celíaco. La causa de la enfermedad es un desorden genético en el sistema HLA (Antígeno de Leucocito Humano), sistema que identifica los antígenos extraños y activa la respuesta inmunitaria a agentes externos potencialmente perjudiciales. En las personas con predisposición genética a esta enfermedad, el sistema HLA se activa en presencia del gluten, identificado como posible «enemigo»; el proceso de digestión separa el complejo proteico del gluten en componentes cada vez más pequeños: uno de estos componentes, el péptido 31-49, es atacado por el sistema inmunitario, que, mediante los «linfocitos asesinos», intenta destruirlo. La reacción de los linfocitos se desencadena, por tanto, contra las células de la pared intestinal, y las vellosidades agredidas son niveladas hasta desaparecer, dejando la superficie del intestino lisa y con incapacidad para absorber los principios nutritivos de los alimentos.

Para desarrollar la enfermedad no es suficiente con estar genéticamente predispuesto, sino que además el organismo debe entrar en contacto con el gluten: sólo en este caso se producen los anticuerpos específicos.

La enfermedad puede manifestarse a cualquier edad: en los niños aparecen los síntomas intestinales con el destete, cuando se introducen en la dieta los primeros alimentos con gluten. Se trata de la celiaquía clásica, fácilmente identificable. En los adultos se pueden diagnosticar tres formas distintas de la enfermedad: atípica, silente y potencial.

Enfermedad celíaca clásica

La enfermedad celíaca clásica o infantil se caracteriza por una serie de molestias gastrointestinales que afectan al niño en los primeros años de vida: el contacto con las primeras papillas (pasta para sopa, galletas, harina láctea, sémola, etc.) provoca diarreas, vómitos, inapetencia, dificultades de crecimiento y disminución de peso. Cuando la enfermedad se manifiesta después del segundo o tercer año de vida, el cuadro clínico es más vago: los dolores abdominales recurrentes van acompañados por una disminución del desarrollo y por anemia. Cuando la enfermedad es diagnosticada, una dieta carente de gluten resuelve completamente el problema. Dicha dieta, sin embargo, tendrá que seguirse toda la vida.

Enfermedad celíaca atípica

Esta forma de la enfermedad, llamada también *subclínica*, es más difícil de identificar, porque presenta síntomas aparentemente no vinculados entre sí, como por ejemplo: calambres y distensiones abdominales, diarrea, náuseas, acidosis, flatulencias, cansancio e hipertensión, calambres musculares, edemas periféricos, deshidratación, dermatitis y lesiones cutáneas, frecuentes formaciones de aftas bucales, fragilidad de uñas, cabello, dientes y huesos, pérdida de peso; y además, molestias en el ámbito sexual (desarrollo tardío, menopausia precoz y amenorrea en las mujeres; impotencia y disminución de la fertilidad en los hombres) y del sistema nervioso (neuropatías periféricas, irritabilidad). Estos síntomas pueden aparecer a cualquier edad, y uno solo de ellos puede constituir la indicación de la aparición de la enfermedad. Si no se identifica y se trata, la enfermedad celíaca puede comportar serios problemas para el esqueleto (osteoporosis, osteomalacia), para la fertilidad y para el aparato digestivo. No obstante, también en este caso los síntomas y las alteraciones se corrigen en breve tiempo si se evita el contacto con el gluten.

Enfermedad celíaca silente

Las alteraciones de la mucosa intestinal provocadas por la intolerancia debida al gluten hacen referencia en este caso sólo a un segmento del intestino delgado; las funciones intestinales son desarrolladas por el resto de componentes, que no se ven afectados: a esto se debe que no aparezcan los síntomas de la enfermedad. La patología, sin embargo, aun en forma latente, está presente en el organismo y se despierta en ocasiones provocada por episodios estresantes (embarazo, infecciones intestinales, etc.). También en este caso, una vez diagnosticada, la enfermedad celíaca se resuelve con una dieta carente de gluten.

Enfermedad celíaca potencial

En este caso, los análisis de sangre muestran la presencia de los anticuerpos típicos de la enfermedad, pero la mucosa intestinal no sufre alteraciones ni lesiones: los pacientes en estas condiciones no son privados de los alimentos que contienen gluten, sino que son sometidos a revisiones periódicas (endoscopia) para controlar la evolución de la enfermedad.

DIAGNÓSTICO Y TERAPIA

Un diagnóstico definitivo requiere no sólo una búsqueda de los anticuerpos específicos en la sangre, sino también una biopsia del intestino delgado, que consiste en la toma de un fragmento de pared intestinal para comprobar el estado de las vellosidades y su eventual atrofia. A los individuos que presentan los síntomas típicos de la enfermedad y las categorías de riesgo (familiares de celíacos, personas con diabetes mellitus de tipo 1, con tiroiditis autoinmune, con artritis reumatoide, etc.) se les extrae una muestra de sangre con el fin de descartar la presencia de algunos tipos de anticuerpos característicos de la intolerancia al gluten: los AGA (anticuerpos antigliadina, contra una sustancia presente en el gluten del trigo); los EMA (anticuerpos antiendomisio, contra las proteínas del intestino), o los IgA (antitransglutaminasa, cuya dosificación ha sido introducida hace poco). Si el análisis da resultados positivos, se procede a la biopsia, que se repetirá aproximadamente un año después para controlar los efectos de la dieta adoptada como terapia. En la actualidad es posible efectuar un diagnóstico de enfermedad celíaca de manera puntual y en un tiempo breve. Existen medios para organizar un *screening* de masa en la población. Descubrir a tiempo la existencia, aun latente, de la intolerancia es fundamental para evitar los problemas, las molestias y los daños determinados por la enfermedad, que afortunadamente puede ser vencida con el simple recurso a una dieta rigurosamente carente de gluten. Por lo demás, esta es la única terapia posible: la eliminación de todos los alimentos a base de cereales que contienen gluten.

La Federación de Asociaciones de Celíacos de España (FACE)

La Federación de Asociaciones de Celíacos de España (FACE) se constituyó legalmente el 27 de junio de 1994 con ámbito de actuación estatal y sin fines lucrativos. La FACE está integrada por 17 asociaciones de celíacos de carácter autonómico que tienen como objetivos comunes:

- *Proporcionar información y orientación, y mejorar el conocimiento de la enfermedad y la adaptación a ella en sus distintas fases y en los diferentes ámbitos (personal, familiar, social, etc.), así como apoyar psicológicamente a los afectados y familiares.*
- *Mantener un seguimiento constante de los avances científicos a través de reuniones periódicas con médicos, y asistir o participar en congresos, jornadas, etc.*
- *Promover la difusión del conocimiento de la enfermedad a través de los medios de comunicación y de publicaciones propias con el fin de concienciar a toda la sociedad.*
- *Fomentar normativas legales que amparen al celíaco y que garanticen el principio de igualdad de toda la población.*

Para conseguir sus objetivos, las asociaciones que integran la Federación de Asociaciones de Celíacos de España ofrecen los siguientes servicios:

- *Información para llevar correctamente una dieta sin gluten.*
- *Asesoramiento y organización de conferencias, congresos, simposios, etc.*
- *Edición y publicación de folletos, boletines y de listas de alimentos, así como de la revista* Mazorca.
- *Organización de actividades de convivencia y foros de encuentro.*
- *Cursillos de cocina «Sin Gluten».*
- *Asesoramiento sobre qué hacer cuando se come fuera de casa.*
- *Información sobre la existencia de Asociaciones de Celíacos, cuando se viaja tanto por España como por el extranjero.*

Página web: http://www.celiacos.org

Enfermedad celíaca y alimentación

LOS PRINCIPIOS NUTRITIVOS

Todos los alimentos contienen sustancias químicas llamadas *principios nutritivos*. Prótidos, glúcidos, lípidos, vitaminas, minerales y agua son los elementos fundamentales de la nutrición humana.

Las proteínas

El carbono, el hidrógeno, el oxígeno y el nitrógeno que componen las proteínas, vinculados unos a otros, constituyen las cadenas de aminoácidos. Los aminoácidos son auténticos ladrillos, que constituyen la molécula proteica. El organismo humano no está capacitado para sintetizar todos los tipos de aminoácidos y tiene que absorber necesariamente algunos con la alimentación. Los tejidos del cuerpo humano se renuevan continuamente, y los viejos son sustituidos por otros nuevos: las proteínas contribuyen a la creación de estos nuevos tejidos.

Cabe tener presente también que los alimentos contienen proteínas diferentes y que, por tanto, es indispensable llevar una alimentación variada: las proteínas están presentes en la carne, el pescado, los crustáceos, los huevos, la leche, las setas, los cereales, las legumbres (judías, lentejas y guisantes contienen las mismas proteínas que la carne), la soja, el queso y los frutos secos.

Los azúcares

Los glúcidos —también llamados *azúcares* o *carbohidratos*— están presentes en los cereales y sus derivados, las legumbres, las hortalizas, la fruta y la leche. Proporcionan energía, que el organismo puede utilizar de inmediato: por este motivo, el contenido de glúcidos en una dieta no puede ser inferior al 50 % de la cuota calórica total. Según su constitución, los carbohidratos se clasifican en monosacáridos, como la glucosa, la fructosa y la galactosa; disacáridos, como la sacarosa y la lactosa; y por último, polisacáridos, como el almidón.

Las grasas

Los lípidos, o grasas, están formados por carbono, hidrógeno y oxígeno, y se clasifican en ácidos grasos saturados o insaturados. Los ácidos grasos son cadenas de átomos de carbono; estos átomos, además de estar enlazados entre

ALIMENTOS Y GLUTEN

	Permitidos	Prohibidos	Con riesgo (VERIFICAR EN ETIQUETAS)
LECHE Y LÁCTEOS	Leche materna Leche de vaca entera, semidesnatada o desnatada Leche en polvo Leche condensada (sólo algunas marcas) Yogur, productos de leche de cabra, quesos frescos Queso en porciones Quesos (frescos y curados) Mascarpone Nata fresca	Leche, yogur o nata aromatizados o elaborados con cebada, malta o cereales	Queso de untar Quesos en porciones y lácteos elaborados con ingredientes no conocidos Nata UHT condimentada Yogur de frutas Quesos en lonchas Quesos a las hierbas o con la corteza florecida Cremas y budines Nata montada en spray Algunos sustitutos de la leche
CARNES	Carnes frescas Carnes congeladas antes de ser cocinadas Aves, menudillos, caza Carnes cocinadas en casa con harinas sin gluten, como maicena o fécula de patata Rellenos hechos en casa (sin miga de pan)	Todas las carnes cocinadas y conservadas o congeladas Carnes y pescados empanados	
EMBUTIDOS	Jamón crudo		Todos los embutidos hechos en los comercios (mortadela, würstel, salchichón, butifarra, jamón cocido, sobrasada, cecina)
HUEVOS	Todos, excepto...	Huevos en polvo	
PESCADOS	Todo tipo de pescado fresco Congelados al natural, sin empanar, no cocinados Pescados conservados al natural o en aceite Crustáceos y moluscos frescos, congelados o conservados al natural Caviar, huevas de pescado	Pescado empanado, enharinado o envuelto en masa para rebozar Pescados cocinados industrialmente	Pasta de anchoas

	Permitidos	Prohibidos	Con riesgo (VERIFICAR EN ETIQUETAS)
VERDURAS	Todas las verduras frescas, crudas, cocidas, congeladas, en conserva al natural	Verduras cocinadas industrialmente Sopas deshidratadas en bolsa	Setas congeladas
PATATAS	Patatas en conserva al natural, precocidas, envasadas al vacío Fécula de patata (sólo algunas marcas) Fécula de patatas holandesas (sólo algunas marcas)	Patatas cocinadas industrialmente, en conserva o luego congeladas Patatas deshidratadas en bolsa	Puré instantáneo
CEREALES O DERIVADOS	Arroz, tapioca, maíz, soja, harina de soja, harina de trigo sarraceno Maíz y derivados: maicena, palomitas, polenta Arroz y derivados: crema de arroz, galletas de arroz, almidón de arroz Tapioca Harinas infantiles sin gluten Pan sin gluten Pastas sin gluten Galletas y wafer sin gluten	Trigo, centeno, cebada, avena y sus derivados: pan blanco, pan de centeno, miga de pan, galletas, pan integral, alimentos empanados, bastoncillos, galletas saladas, rebanadas de pan Pastas, raviolis, canelones, ñoquis, sémolas, copos de avena Galletas y pasteles industriales Pasteles con harina de trigo, cebada, centeno o avena	
FRUTA	Toda la fruta fresca Fruta en almíbar hecho en casa Frutos secos Frutos secos: nueces, avellanas, cacahuetes, nuez de coco, pistachos, almendras, sésamo Zumos (sólo algunas marcas)	Higos secos enharinados	Fruta confitada Harina de castañas Compuestos de fruta en industria, crema y mermeladas de castañas, marrón glacé Fruta en almíbar
GRASAS	Mantequilla, nata fresca, aceite, lardo, manteca de cerdo		Margarinas

	Permitidos	Prohibidos	Con riesgo (VERIFICAR EN ETIQUETAS)
DULCES	Azúcar blanco, azúcar de caña Gelatinas y mermeladas de fruta y azúcar hechas en casa Caramelos de regaliz puro Pasteles hechos en casa con harinas garantizadas sin gluten Sorbetes y helados hechos en casa	Helados Pasteles y galletas industriales, pan condimentado, cruasanes Mazapán	Mermeladas Turrones Azúcar glas Chocolate Dulces industriales y polvos para flan, crema o helado Chocolate en polvo para leche Chocolate con relleno Cacao en polvo con añadido de harinas no permitidas
BEBIDAS	Agua del grifo Cualquier marca de agua mineral o con gas Zumos de fruta exprimida Jarabes de fruta Limonadas Té, café, infusiones Vino Licores	Cerveza Horchata Cafés solubles Sucedáneos de café Café de cebada Whisky Vodka Ginebra	Preparados para batidos y chocolate
CONDIMENTOS	Hierbas aromáticas frescas o secas Hierbas aromáticas y especias puras Vinagre, pimienta pura Mayonesa, jugos y salsas hechas en casa Levadura de cerveza Vinagre balsámico Aceites para conserva y escabeches Tomate triturado	Bechamel industrial o tradicional	Mostazas Pesto Mayonesas Cubitos de caldo Especias y aromas en polvo industriales Levadura en sobres Salsa de soja
MEDICINAS		Medicamentos en polvo, en grano o en pastillas enriquecidas con gluten (debe leerse siempre el prospecto)	

sí, están unidos a átomos de oxígeno e hidrógeno. Si en el ácido graso existe un solo enlace doble, se conoce como monoinsaturado; en cambio, si presenta más de un enlace doble, el ácido graso es un poliinsaturado. Generalmente, los ácidos grasos saturados están contenidos en las grasas animales (mantequilla, lardo, grasa de la carne...), mientras que los insaturados se hallan en las grasas vegetales (aceite de oliva, de soja, de maíz, de cacahuete...). El contenido alimenticio en lípidos no debe estar por debajo del 30 % de la cuota calórica diaria y tiene que privilegiar los ácidos grasos monoinsaturados.

Las vitaminas

Las vitaminas son indispensables para nuestro organismo. La dieta tiene que garantizar siempre la ingesta de las cantidades de vitaminas requeridas por el organismo, para evitar la aparición de enfermedades debidas a carencias vitamínicas.

LAS ALTERNATIVAS

El trigo es un cereal perteneciente al género *Triticum*, cuyas especies más conocidas y utilizadas son el *Triticum vulgare* (trigo blando) y el *Triticum durum* (trigo duro).

En España, en 2011, la superficie dedicada al trigo blando es de 1.555.600 ha, mientras que la dedicada al trigo duro es de 384.620 ha.

Las principales regiones de producción de trigo blando son Castilla y León, Navarra, Castilla La Mancha, Aragón, Cataluña y, en menor grado, Andalucía. En cambio, el cultivo del trigo duro se centra en Andalucía, Badajoz, Burgos, Navarra, Toledo y Zaragoza, principalmente.

Las etiquetas

En enero de 2008 se aprobó en España un plan de apoyo a la enfermedad celíaca, que incluía un Real Decreto sobre el etiquetado de los productos sin gluten, en el que se establecía que para que un producto pudiera ser etiquetado como «sin gluten» en nuestro país debía contener una cantidad de gluten inferior a 20 mg/kg. Además, se proporcionaban las pautas para que las empresas pudieran utilizar si lo deseaban un pictograma indicativo de la presencia o no de gluten en su producto.

A partir del 1 de enero de 2012 ha entrado en vigor una normativa a nivel europeo, el Reglamento n.º 41/2009, en el que se establecen dos categorías para el etiquetado:

– «exento de gluten»: alimentos con menos de 20 mg/kg de gluten;
– «contenido muy reducido de gluten»: alimentos que no superen los 100 mg/kg de gluten.

Asimismo, en este reglamento se especifica que las citadas etiquetas deben colocarse muy cerca del nombre comercial del producto.

El trigo blando se muele para producir harinas con granos redondos y de color blanco. Al moler el trigo duro se obtienen harinosos denominados *sémolas*.

Las harinas se clasifican, por su contenido de gluten, en harinas fuertes y harinas suaves; cuanto mayor es el contenido de gluten, mayor es la fuerza de la harina; de ahí la dificultad de fabricar harinas específicas para los celíacos.

También contiene gluten la harina de avena, la de cebada, empleada para productos de horno con levadura y también como espesante, y la harina utilizada para preparar el pan de chapata, el pan sin levadura y otros productos de horno.

La cultura mediterránea, como todas las culturas occidentales, basa su alimentación en la harina de trigo: Italia, por ejemplo, ha hecho de la pasta y la pizza casi un símbolo nacional, y en España, el pan es un alimento omnipresente en la mesa. En los comercios se puede encontrar pan de molde, tostadas y algún otro tipo de producto elaborado con harinas de maíz y de arroz, que pueden constituir una alternativa muy interesante al pan tradicional.

Otra posibilidad consiste en sustituir la harina, la pasta y el pan por arroz, maíz, mijo, soja y otros cereales permitidos, así como en privilegiar una dieta rica en verduras, legumbres, fruta, pescado y carne. De este modo, sin embargo, se corre el riesgo de exagerar el consumo de alimentos demasiado ricos en proteínas y grasas e introducir una cantidad insuficiente de carbohidratos, que en cambio tienen que constituir la base de una dieta equilibrada.

Óptimas posibilidades de integrar y variar la dieta son ofrecidas por los tubérculos (patatas), raíces (tapioca) y frutos secos (castañas), que también proporcionan fibras, algunos tipos de vitaminas y minerales.

El arroz

Las más de 10.000 variedades de arroz derivan todas de dos cepas, los grupos *japonica* e *indica*. El arroz tiene su origen en Oriente, y de hecho, hoy sigue constituyendo la base de la alimentación en Asia. Las variedades más divulgadas por Europa pertenecen al grupo *japonica* y se comercializan con varias denominaciones según las características del grano: original, semifino, fino y extrafino. Comparado con el trigo, el arroz presenta un contenido calórico casi idéntico, pero proporciona más almidón y menos proteínas. Extremadamente digerible, tiene propiedades curativas para las molestias intestinales y se presta a varios preparados en la cocina, desde la paella y el risotto hasta los platos «étnicos», desde las tartas hasta los pilaf, e incluso constituye un magnífico acompañante de guisos y verduras.

Algunos derivados del arroz pueden ser empleados en lugar de los harinosos de trigo: los copos de arroz o arroz inflado, para galletas y para acompañar la leche. La harina de arroz, ideal para los niños, es óptima como espesante: para prepararla es aconsejable moler los granos con un molinillo, ya que los productos elaborados (no etiquetados como «sin gluten») pueden contener residuos de la moledura de otras harinas. Con harina de arroz se fabrican los clásicos espaguetis chinos y otras formas de pasta.

El maíz

Originaria de América Latina, la planta del maíz desembarcó en Europa en el siglo XVI, con los conquistadores. Muy pronto, debido a su extraordinaria capacidad de adaptación, se difundió por todo el territorio de la Europa Occidental, llegando a ocupar incluso los terrenos más pobres, áridos o montañosos. Gracias a la introducción del maíz, poblaciones completas de las regiones más pobres pudieron vencer el hambre. Si bien es más pobre en proteínas que el trigo, el maíz tiene el mismo valor calórico y ayuda a regular las funciones intestinales. Totalmente carentes de gluten, los granos de maíz pueden emplearse frescos, hervidos o salteados, o bien ser utilizados para producir harinas. La harina amarilla puede molerse más o menos fina. La más gorda, adecuada para preparar polentas, y también ñoquis y croquetas, es la más difundida. La harina más fina sirve para elaborar dulces, panes y otros productos al horno.

El almidón de maíz presenta unas propiedades espesantes útiles para la preparación de salsas y cremas. El maíz está disponible también en copos. Delicioso derivado de este cereal son las palomitas, producto típicamente americano pero de uso muy extendido hoy en España y Europa.

El mijo

Las antiguas civilizaciones de la cuenca mediterránea reconocieron desde el principio de los tiempos la resistencia y la versatilidad del mijo. Cultivado sobre todo en África, el mijo es rico en minerales y proteínas. Los granos tostados y cocidos en agua pueden acompañar estofados y verduras, o convertirse en el ingrediente de base de sopas o consomés.

La sémola de mijo es adecuada para sustituir la sémola de trigo también en la preparación de ñoquis y dulces. Del mijo se obtiene también harina.

La soja

La soja es una legumbre muy utilizada en Asia que se ha ido extendiendo rápidamente por todo el mundo. Es rica en proteínas, fibras, minerales y grasas, y resulta de gran utilidad para regular el nivel de colesterol; además, es un valioso sustituto de la carne en las dietas vegetarianas.

La harina de soja puede servir como componente de mezclas para pan y pasta. Los espaguetis de soja, igual que los de arroz, constituyen una alternativa al clásico plato de pasta.

HARINAS SIN GLUTEN

Harina de arroz

Carece de gluten. Suele utilizarse junto con la harina de trigo para preparar tartas dulces y saladas, o bien sola, como espesante. También la hay integral.

Harina de soja

Contiene el doble de proteínas que la harina de trigo, pero es pobre en carbohidratos. Tiene que ser mezclada con otras harinas para preparar productos para horno.

Tapioca (harina de mandioca)

Se extrae de la raíz de la mandioca y se emplea para la preparación de dulces y pastas alternativas, o bien para espesar salsas dulces y saladas. Puede ser sustituida por la fécula de maíz o arrowroot.

Harina de mijo

Tiene aroma de nuez y un sabor que recuerda al de la polenta. Tanto la harina como la sémola se utilizan unidas a otros cereales para preparar productos para horno.

Harina de trigo sarraceno

El trigo sarraceno, integral y no tostado, carece de gluten. Se usa hervido o para preparar sopas o estofados.

La harina obtenida a partir del trigo sarraceno puede ser clara u oscura con pequeñas partículas negras debidas a la presencia de un alto contenido de salvado.

Se emplea para preparar tallarines, blinis y creps, o bien mezclada con otras harinas para preparar productos para horno.

Arrowroot

Fécula obtenida de las raíces de una planta tropical llamada maranta.

La pasta en la cultura mediterránea

Desde siempre, el agua y los cereales han sido los ingredientes de base de la alimentación humana. Los cereales en estado natural y el sistema digestivo humano, sin embargo, son incompatibles. El ser humano tuvo que desarrollar ya desde el Neolítico un método para cocer los cereales. Gradualmente descubrió cómo quitarles la cascarilla y, después de molerlos en un mortero, preparar, con el añadido de un poco de agua, una especie de polenta consistente de agradable sabor.

Este alimento debía de ser parecido a la griega maza (bollos, pan) y a la romana puls (polenta de harina de farro).

Uno de los primeros testimonios de la preparación de una especie de hojaldre se remonta a la civilización etrusca del siglo IV a. de C.: en la tumba de los relieves de Cerveteri aparecen representados unos utensilios para preparar esta masa.

Los antiguos romanos llamaban laganae a las finas tiras de pasta hechas con harina y agua. Esta palabra se utiliza aún en el sur de Italia y se refiere a la «pasta en tiras», laganella o leganaca.

Los testimonios se vuelven más frecuentes después del año 1000. El geógrafo árabe Al-Idrisi describe en Palermo un alimento hecho «en forma de hilo»: probablemente los primeros espaguetis de la historia. Además, se presume que la pasta seca es precisamente de origen árabe.

La hipótesis de que los chinos son los inventores de este tipo de pasta no es más que una leyenda: ya en 1279 existe un importante documento de un notario de Génova (Italia) en el que se menciona un recipiente lleno de maccaronibus, naturalmente secos, de lo contrario no habrían podido conservarse.

En los siglos XIII y XIV, la pasta se ha extendido ya por el resto de la península itálica; aunque existen varios testimonios, el más célebre es el que nos ofrece Boccaccio, que en la novela Decamerón describe unos raviolis en caldo de capón y macarrones. A finales del medievo, el nombre más común para indicar la pasta en general era macarrones, mientras que actualmente esta palabra se utiliza únicamente para designar un tipo de pasta de forma cilíndrica y hueca.

Alimento popular, pero también de las mesas de los señores y de la corte, la pasta es mencionada en todos los tratados de cocina históricos nacidos en aquellos centros de poder y de refinada cultura que fueron Mantua, Venecia y Roma entre finales del siglo XIV y el siglo XVI, que codifican, finalmente, la preparación de la pasta.

La raíz es reducida a polvo y utilizada, como la fécula de maíz, para preparar budines y galletas. Si se añade a salsas y gelatinas, las vuelve densas y transparentes.

Harina de maíz descascarillada

Sémola de grano gordo llamada también *harina amarilla*. Se utiliza para preparar galletas, polenta, pan y tortitas.

Fécula de maíz o maicena

Fécula sin gluten obtenida de la moledura de los granos de maíz. La maicena tiene un gran poder espesante.

Cabe recordar también las harinas obtenidas por la deshidratación y moledura de calabazas, espinacas, garbanzos, jaramago, berros, castañas, remolacha y otros productos.

HARINAS ESPECIALES

Actualmente existe también la posibilidad, para los celíacos, de recurrir al uso de harinas, pasta, pan, galletas y productos especiales sin gluten.

Esta alternativa a las harinas tradicionales permite preparar en casa todos los platos clásicos de la gastronomía española recurriendo simplemente a algunos trucos. Las harinas especiales son mezclas de harinas que carecen de gluten: precisamente por ser mezclas difícilmente se prestan a ser combinadas con otras harinas. Los diferentes componentes encuentran cohesión gracias a estabilizantes y emulsionantes, como por ejemplo la leche o los derivados del huevo.

Transformar una receta para que pueda utilizar harina sin gluten no es fácil: la harina sin gluten, de hecho, absorbe más agua, leche, huevos y otros líquidos, y también más grasas (mantequilla, margarina, aceite, etc.) que la habitual harina de trigo. Por tanto, será necesario calcular nuevamente las cantidades de los ingredientes para hallar las proporciones justas en cada preparación. También el tiempo de cocción deberá ser revisado: tendrá que reducirse para permitir a la masa mantener una dosis de humedad residual sin que se seque.

Cocinar sin problemas

LOS MÉTODOS DE COCCIÓN

Sería realmente un pecado cocinar de un modo erróneo unos alimentos elegidos con esmero, ya que se correría el riesgo de echar a perder el sabor y de condicionar su valor nutricional. Es obvio que no todos los métodos de cocción se adecuan a todos los alimentos.

Al vapor

La cocción al vapor presenta la ventaja de conservar íntegros los principios nutritivos de los alimentos; además, preparados con este método no pierden el sabor ni requieren el añadido de grasas. Para este tipo de cocción existen diversos instrumentos: la olla de vapor, las cestas de metal o las cestas de bambú, de antiquísimo origen oriental. Para que los tiempos de cocción no sean demasiado largos, es aconsejable cortar los alimentos en trocitos. El agua para la cocción puede perfumarse con hierbas aromáticas: el alimento, de hecho, además de no perder vitaminas, sales minerales ni aroma en el líquido de cocción sobre el que se encuentra, absorbe de él humedad, aromas y perfumes. En particular, las verduras, si se cuecen de este modo, no pierden su color natural.

La cocción

Carnes, verduras y pescados hervidos pueden perder vitaminas y sales minerales si la cocción se prolonga demasiado. Además, es aconsejable sumergir las carnes y los pescados en el agua cuando esta hierve: de este modo, los tejidos exteriores forman una especie de barrera que evita que salgan los jugos; las verduras, en general, tienen que ser introducidas en el agua hirviendo, pero las patatas y las zanahorias es mejor ponerlas a cocer cuando el agua todavía está fría.

El añadido de hierbas aromáticas al agua de cocción puede ayudar a dar sabor a los alimentos sin cargarlos.

Al horno

El horno es ideal par la cocción de carne y pescado: la temperatura constante permite que los alimentos se hagan de manera uniforme; el calor que los envuelve consigue cocciones lentas y prolongadas y dorados uniformes.

Durante la cocción al horno, además, la grasa se derrite y se deposita en el fondo de la bandeja (es mejor que esté revestida de material antiadherente, de manera que no haya que untarla), de la que resultará fácil de retirar: así se pueden preparar alimentos sabrosos y, al mismo tiempo, muy ligeros.

Olla a presión y horno microondas

Con la olla a presión se pueden reducir casi en un tercio los tiempos de cocción, manteniendo inalterado el contenido de sales minerales y vitaminas de los alimentos, así como su sabor. Con este sistema es suficiente con añadir muy pocas grasas incluso para cocinar estofados y cocidos.

También el horno microondas requiere el añadido de algún condimento y conserva intactos los sabores y los principios nutritivos. Sin embargo, presenta la desventaja de reducir el tiempo de cocción. No obstante, puede utilizarse sin problemas, procurando elegir los recipientes apropiados y dejar reposar unos minutos los alimentos una vez acabada la cocción.

Parrilla, plancha y sartén antiadherente

Los alimentos hechos a la parrilla, aunque sea eléctrica, o a la plancha, además de ser gustosos y apetitosos, son sanos y magros, ya que, en este caso, las grasas se derriten y se eliminan con facilidad. Para que la cocción sea perfecta, la parrilla o la plancha deben estar bien calientes, y la comida tiene que haber sido previamente marinada: los aromas de estos condimentos hacen más sabrosos los alimentos, y el zumo del limón o el vinagre utilizado los vuelven más blandos. El fuerte calor, además, provoca que el alimento forme una costra que evita la pérdida de los jugos.

Del mismo modo, la sartén antiadherente tiene que calentarse antes de cocinar en ella carnes y verduras sin añadidos de grasas.

A la sal o a la papillote

También estos tipos de cocción pueden dar óptimos resultados a quien quiera cocinar platos «ligeros» que destaquen los sabores naturales de los alimentos. Los platos a la sal se hacen dentro de una costra que conserva sus jugos: los alimentos tienen que cubrirse de sal (a la que, por supuesto, se le pueden añadir las hierbas aromáticas que se deseen) y cocinarse al horno a temperatura constante. Para cocinar alimentos a la papillote no hay más que ponerlos en el centro de una hoja de papel de aluminio junto con hierbas aromáticas, sellar el «cucurucho» plegando los lados y hornear.

MUCHO AROMA Y NADA DE GLUTEN

Escoger y dosificar atentamente hierbas aromáticas y especias, mezclar fragancias más o menos intensas, destacar aromas combinándolos con los diferentes preparados y subrayando con aceite de oliva virgen extra: este es el mejor modo para obtener unos platos ligeros pero con sabor y perfumes siempre nuevos, que sepan devolver el placer de la buena mesa incluso a una persona que padezca la enfermedad celíaca.

Las especias y las hierbas aromáticas son sustancias vegetales que se caracterizan por poseer un intenso perfume y estar dotadas de propiedades medicinales. Se conocen desde la Antigüedad, y en un principio eran utilizadas para ayudar en la digestión, con fines antisépticos y para la conservación de los alimentos.

Las especias se caracterizan generalmente por poseer un sabor muy fuerte y a menudo picante. Provienen de zonas tropicales y normalmente se utilizan después de ser deshidratadas y molidas, así mantienen durante mucho tiempo todas sus propiedades, en especial si se conservan en recipientes de vidrio. Ya en época romana el comercio de especias procedentes de la India era intenso y voluminoso; tanto, que autores como Plinio el Viejo reprochaban a los emperadores el coste excesivo de este comercio. En la mentalidad romana nació así la contraposición entre las hierbas aromáticas mediterráneas empleadas en la cocina popular y las especias orientales, privilegio de los patricios. Durante todo el medievo, la vida de las especias fue protagonizada por comerciantes bizantinos, árabes y venecianos, siempre para servir la mesa de los ricos, confirmando la contraposición ideal que se había creado en la época anterior entre especias y hierbas aromáticas. Se entiende por *hierba aromática* tanto las flores, como las hojas o las semillas de algunas plantas herbáceas: crecen en zonas de clima templado, cultivadas, y también en estado silvestre; tienen que ser consumidas preferiblemente frescas, cuando su aroma está aún intacto. Se pueden añadir todas las plantas de intenso perfume que se utilizan normalmente en cocina para aromatizar los platos.

Plantas aromáticas

Ajedrea: sus brotes y sus hojas, frescos o secos, ofrecen un perfume a menta y tomillo.

Ajo: su característico olor se debe a una sustancia química que contiene azufre. De ahí las propiedades gastronómicas y curativas del bulbo de esta planta herbácea, que es un excelente antiséptico, además de ser óptimo para la cocina. Su nombre deriva del céltico *all*, que significa «caliente, de gusto picante». Pertenece a la familia de las Liliáceas y se clasifica en tres variedades según el color del revestimiento de los dientes en el bulbo.

Albahaca: su nombre deriva del griego y significa «regio». Crece en climas mediterráneos en época estival y comprende diversas variedades. Es mejor utilizar sus hojas frescas y es preferible no cortarlas ni picarlas con hojas de metal, sino trocearlas a mano o majarlas en el mortero, como por ejemplo para preparar pesto. Si se consume cruda, tiene propiedades desestresantes y digestivas.

Alcaparra: sus capullos son retirados de la planta cuando aún están cerrados para ser empleados en cocina. Se conservan en vinagre, sal o salmuera.

Angélica: debe el nombre a su acción medicinal; en la Edad Media, de hecho, se decía que esta planta de las Umbelíferas tenía el poder, propio de los ángeles, de combatir la peste. Resulta óptima en ensaladas, pero también confitada.

Anís: del latín *anisium*. Los frutos de esta planta, erróneamente llamados *semillas*, se emplean frecuentemente en pastelería y panadería, y constituyen además una perfecta infusión relajante.

Cebolla: es una planta herbácea cuyos bulbos, empleados con asiduidad en cocina, se clasifican según toda una variedad de formas, gustos, perfumes, periodos de recolección y dimensiones. Se cultivaba ya hace 5.000 años en Palestina; en la Antigüedad era de uso habitual como alimento para pobres, típico de los soldados griegos y romanos, y en el medievo y el Renacimiento era consumida sobre todo por los campesinos, aunque también era apreciada por ricos y nobles. Todo esto gracias no sólo a su sabor, sino también a sus características nutricionales.

Cebollino: sus hojas filiformes y huecas emanan un fresco perfume a cebolla. Resulta óptimo para aromatizar quesos frescos.

Chalote: durante un tiempo estuvo vinculado a las dietas para pobres, pero hoy ocupa su lugar en la cocina más refinada, sobre todo en la francesa. Parecido al ajo, los dientes que componen su bulbo están encerrados, sin embargo, en un único envoltorio.

Cilantro: utilizado desde la Antigüedad en el área mediterránea por egipcios, griegos y hebreos, es conocido también en América Central. Los pequeños frutos se dejan secar y se emplean para aromatizar diferentes platos. También se usan para la elaboración de licores.

Enebro: las pequeñas ramas redondeadas de esta planta tienen que ser consumidas preferiblemente frescas y deben ser aplastadas ligeramente antes de su uso.

Eneldo: conocido ya en el antiguo Egipto, es de olor y estructura similares a los del hinojo. En cocina se emplean las partes más tiernas de la planta, las hojitas y los brotes nuevos, frescos o secos; las semillas sólo pueden ser utilizadas después de secarse. Estimula el apetito y elimina los gases intestinales.

Estragón: es originario de Siberia y su uso es muy habitual en la cocina francesa. Es preferible consumir sus hojitas frescas, aunque también es ampliamente utilizado seco para preparar diversas salsas.

Guindilla: puede consumirse seca o fresca. Se distingue del pimiento, con el que mantiene un estrecho parentesco en botánica, por su contenido en capsicina, una sustancia picante. Las más picantes son las más pequeñas.

Laurel: arbusto perenne que en el pasado era sagrado y dedicado al dios Apolo, símbolo de victoria, con el que se coronaba a los atletas, los poetas y los generales. Típicamente mediterráneo, sus hojas, de propiedades digestivas y antisépticas, son empleadas en cocina para aromatizar platos de carne y pescado. Por otra parte, de la drupa se obtiene un aceite esencial usado para preparar licores.

Mejorana: originaria de Asia Menor, su uso en cocina se ha extendido ampliamente. Puede emplearse seca, pero fresca desprende mejor su aroma, parecido al del orégano, y su gusto, ligeramente más dulce.

Melisa: de las hojas de esta planta, llamada también *toronjil*, emana un perfume de limón.

Menta: sólo se utiliza en cocina alguna de las cuarenta variedades de esta planta. Sus hojas y sus flores contienen varias sustancias aromáticas.

Mirto: sus bayas y sus hojas resultan perfectas para dar sabor a todo tipo de carnes y caza.

Orégano: divulgadísimo y característico de las cocinas mediterráneas, es un arbusto en cuyas ramas crecen las perfumadísimas hojitas. Se utiliza preferiblemente seco.

Perejil: su nombre deriva del griego y significa «apio de las piedras». En España se encuentra tanto en estado silvestre como cultivado y es muy apreciado como condimento de platos de todo tipo.

Perifollo: su aspecto se parece al del perejil, pero su sabor es más delicado. Sus hojas se consumen frescas y crudas (sobre todo en Francia) o bien secas (especialmente en Italia).

Puerro: pertenece a la misma familia que la cebolla y el ajo, y, como estos, se conoce desde la Antigüedad y se ha extendido por todas las cocinas mediterráneas.

Romero: arbusto perenne que crece a lo largo de todas las costas del Mediterráneo. Se utiliza seco para aromatizar carnes y pescados, como condimento, y para preparar aperitivos y licores. Es desinfectante y regula las funciones intestinales.

Salvia: es una de las hierbas más importantes de la cocina de las regiones de clima templado y se emplea tanto a lo largo de Mediterráneo como en las cocinas inglesa y flamenca.

Sésamo: planta herbácea cuyas semillas, blancas o negras, se utilizan habitualmente en la cocina mediterránea. Originario de África, el sésamo se cultiva sólo en algunas regiones europeas. Presenta un sabor delicado y una consistencia crujiente. Se emplea sobre todo en platos a base de pescado o para aromatizar panes, bollos o productos de horno.

Tomillo: arbusto mediterráneo perenne, cuyas hojitas son utilizadas tanto frescas como secas. Asimismo, tolera las cocciones largas y, por tanto, resulta óptimo para aromatizar sopas y legumbres.

Especias

Alcaravea: sus pequeños frutos, originarios del Mediterráneo oriental, se utilizan hoy para aromatizar panes y dulces, sobre todo en la Europa central.

Azafrán: de las flores de esta planta originaria de Asia Menor se obtiene un polvo de fuerte color amarillo y aroma intenso. El azafrán, que ya era utilizado por los antiguos egipcios, los griegos y los romanos, se emplea con frecuencia en las cocinas de toda la cuenca mediterránea. Además del polvo, es posible encontrar en los comercios estambres de azafrán secos, que se disuelven en agua caliente.

Canela: es la corteza de dos tipos de planta pertenecientes al género *Cinnamomum*, reducida a hojas finas redondeadas en forma de bastoncillos. Originaria de Sri Lanka, es conocida y apreciada desde tiempos inmemorables.

Cardamomo: de uso muy extendido en Oriente, está constituido por semillas secas de la planta del mismo nombre, que pueden ser usadas solas para aromatizar preparados dulces o salados, y son un ingrediente fundamental para la elaboración del curry.

Clavo: capullos secos de un arbusto tropical perenne, conocido en China desde la Antigüedad, y que se extendió por Europa después de las Cruzadas.

Comino negro: muy parecido a la alcaravea, es característico de las cocinas norteafricanas, meridionales y orientales.

Cúrcuma: polvo amarillo derivado del trabajo de una raíz, de aroma intenso, semejante al del jengibre, pero más amargo.

Curry: mezcla de especias típica de Extremo Oriente, empleada sobre todo en la preparación de guisos y estofados. Actualmente se vende en Occidente, ya preparado, con cúrcuma, cilantro, pimienta y comino, además de otras hierbas aromáticas que varían en función del gusto más o menos picante que se desee.

Jengibre: las raíces de esta planta originaria del Asia tropical presentan un aroma picante; puede consumirse fresco, en rodajas o rallado, o bien confitado o en polvo seco. Es uno de los ingredientes del curry y se utiliza también como base para la preparación de bebidas refrescantes.

Mostaza: de las picantísimas semillas molidas de la homónima planta herbácea se obtiene un condimento en crema, extendido por Francia ya en la época medieval. La planta y sus semillas eran utilizadas también en el antiguo Egipto.

Nuez moscada: es la semilla seca de un gran árbol perenne originario de las islas Molucas, muy extendido todavía hoy en las cocinas mediterráneas, sobre todo la española y la italiana.

Pimentón: pimientos secos y molidos, característicos de la cocina húngara. Existen varios tipos de pimentón, pero el más habitual es el pimentón dulce.

Pimienta: de todas las especias, quizás esta sea la más difundida en nuestro país; procede del fruto, de una sola semilla, de una planta trepadora originaria probablemente de la India. La pimienta se extendió por Europa a finales de la época helenística y tuvo mucho éxito en la cocina romana. La pimienta negra es el fruto maduro y seco, mientras que la pimienta blanca es la semilla sin su corteza exterior.

Pimiento de Jamaica: granos perfumados de canela, clavo, laurel y nuez moscada.

Vainilla: fruto de una planta tropical, de forma alargada y con numerosas semillas. Para que desprenda su aroma, este fruto tiene que dejarse fermentar y secar.

A LA MESA, SIN GLUTEN PERO CON SABOR

Sin gluten, sin problemas

Para utilizar con total seguridad harinas sin gluten hay que respetar algunas reglas prácticas para eliminar cualquier contaminación posible en la cocina. En primer lugar se tiene que procurar que ningún ingrediente haya sido contaminado por utensilios que hayan estado antes en contacto con productos con gluten. Deben evitarse a toda costa los instrumentos de madera, como cucharas o tenedores, pero sobre todo las tablas sobre las que se podrían haber apoyado sustancias con gluten. Es una buena norma no utilizar coladores ni tamices para distribuir diferentes tipos de harinas, así como evitar rallar, moler, amasar o aplastar ingredientes con robots de cocina que no hayan sido desmontados y limpiados con rigor. Se tiene que ir con cuidado también con las espátulas de goma (las de mango desmontable) y con los batidores de acero: no siempre es posible limpiarlos completamente. También las bayetas y los trapos podrían conservar restos de gluten de un uso anterior.

Es aconsejable emplear siempre plástico transparente para cubrir las masas que haya que dejar fermentar o refrigerar en la nevera. Asimismo, es aconsejable utilizar papel parafinado para horno sobre todas las bandejas de cocción, y papel de aluminio para cubrir los alimentos que se hagan en hornos cuyo estado se desconozca.

Lo mejor sería poseer un pequeño conjunto de utensilios para cocinar sin gluten: bastará con un par de cuencos de pastelería (de 2 y 4 litros), un batidor, una pequeña batidora, un par de espátulas, dos torteras fijas, una tortera de fondo extraíble, un tamiz, un recipiente para microondas para deshacer chocolate y elaborar salsas, y una tabla de material sintético de dimensiones que posibiliten hacer una masa.

Entremeses, tentempiés y tartas saladas

No sólo ensaladas y embutidos seguros, sino también pizzas, focaccias y tartas saladas, todo sin una pizca de gluten.

Utilizando las recetas de base para la pasta quebrada, el hojaldre, el pan, la pizza y las focaccias se pueden preparar infinitas variedades de quiche, tartas saladas y tentempiés de todo tipo: basta con combinar entre sí los ingredientes con fantasía para servir un entremés que sorprenda a los invitados.

Primeros platos

Se pueden preparar salsas gustosas para acompañar la pasta seca sin gluten y preparar en casa ñoquis, lasañas, tallarines y raviolis para servir un primer plato «mediterráneo» pero compatible con las exigencias de la dieta para celíacos.

Además, se pueden valorar las alternativas al trigo: no sólo risotto, sino también espaguetis de arroz y de soja, aprendiendo así de las cocinas de países lejanos. Son muchísimas las ideas para evitar el gluten sin renunciar a lo principal.

Segundos platos

Vía libre a carnes y pescados, siempre y cuando se preste atención a los tipos de cocción: algunos platos, fritos y guisos sobre todo, requieren que los ingredientes se enharinen; en este caso, obviamente, es esencial utilizar productos sin gluten o harinas alternativas.

Verduras

Una infinita variedad de perfumes, gustos, colores y formas que se combinan con fantasía para preparar platos totalmente seguros: también aquí hay que ir con cuidado y utilizar únicamente harinas sin gluten para freír, gratinar o espesar.

Postres

Siguiendo las recetas de base para el bizcocho, la pastaflora, la crema pastelera, etc., se pueden preparar todo tipo de tartas, galletas, cremas o dulces de cuchara que la fantasía pueda sugerir. Las recetas que mostramos a continuación son una guía, pero también un punto de partida para combinar sabores y crear nuevas ideas.

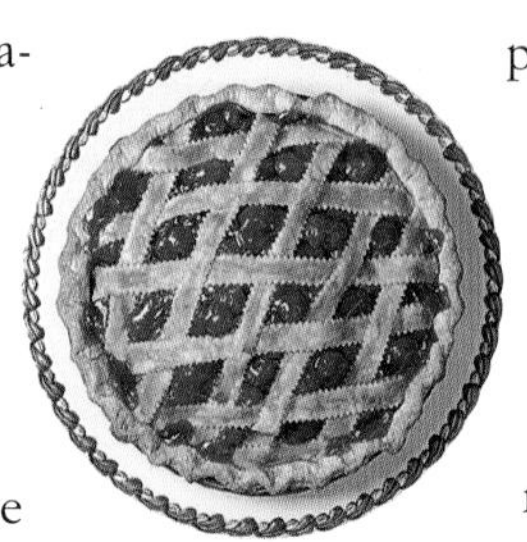

RECETARIO

Bechamel

PREPARACIÓN: 5 minutos
COCCIÓN: 10 minutos
DIFICULTAD: media

En total
- 796 Kcal
- Prótidos: 20,2 g
- Lípidos: 50,9 g
- Carbohidratos: 65,8 g

Ingredientes para 500 ml
- 500 ml de leche semidesnatada
- 50 g de mantequilla
- 50 g de harina sin gluten
- nuez moscada
- sal
- pimienta blanca

Para empezar, se funde la mantequilla en una cazuela, se añade la harina y se remueve bien; a continuación, se agrega la leche en forma de hilo y se trabaja la salsa durante un rato con un batidor para evitar que se formen grumos. Luego se sazona con una pizca de sal, un poco de nuez moscada rallada y pimienta blanca.

Se cuece unos 10 minutos sin dejar de remover.

Ñoquis de patata

PREPARACIÓN: 20 minutos, y 40 minutos más para la cocción de las patatas
COCCIÓN: 5 minutos
DIFICULTAD: baja

Por cada porción
- 150 Kcal
- Prótidos: 2,7 g
- Lípidos: 0,85 g
- Carbohidratos: 33,6 g

Ingredientes
para 4 personas
- 300 g de patatas harinosas
- 100 g de harina sin gluten
- nuez moscada
- sal

Se pelan las patatas y se hierven en agua con sal. Se deja que se entibien y se pasan por el pasapurés, dejando que caigan sobre la superficie de trabajo previamente enharinada (con harina sin gluten).

Seguidamente, se incorpora la harina, se sala y se amasa para obtener una masa homogénea. Se aromatiza al gusto con nuez moscada. Entonces se forman unas tiras redondeadas y se cortan en tronquitos para obtener los ñoquis; se les da relieve con los dientes de un tenedor y se colocan en la superficie de trabajo.

Por último, se cuecen en abundante agua hirviendo con sal: estarán listos cuando floten y suban a la superficie.

Pasta al huevo

PREPARACIÓN: 20 minutos, más el tiempo para el reposo
DIFICULTAD: baja

Por cada porción
- 293 Kcal
- Prótidos: 9,3 g
- Lípidos: 5,8 g
- Carbohidratos: 50,8 g

Ingredientes para 8 personas
- 500 g de harina sin gluten
- 400 g de huevos
- 1 pizca de sal

Se mezclan la harina y la sal. Se echan en un cuenco los huevos y se baten bien con un tenedor; luego se incorpora la harina salada y se amasa.

Cuando la mezcla ha adquirido consistencia, se traslada a la superficie de trabajo y se amasa enérgicamente para que gane fuerza y cohesión.

La masa está lista cuando no se pega en la superficie: en ese momento hay que formar un panecillo, envolverlo en plástico transparente y dejarlo reposar en el frigorífico. Más tarde, se tiene que extender una lámina del espesor deseado. De esta lámina se pueden obtener los siguientes formatos:

Lasañas: 15 cm de longitud y 5 cm de anchura.

Espaguetis: 30 cm de longitud y 5 mm de anchura.

Espaguetis anchos: 25 cm de longitud y 9 mm de anchura.

Tallarines: 30 cm de longitud y 3 mm de anchura (tienen que ser de sección cuadrada, es decir, altura = anchura).

Tallarines finos: 20 cm de longitud y 1 mm de anchura.

Lacitos: 12 cm de longitud y 2 cm de anchura, cortados con el borde dentado.

Cuadraditos: cuadrados de 5 mm de lado.

Láminas para raviolis cuadrados, raviolis redondos y tortellinis.

Pasta quebrada

PREPARACIÓN: 15 minutos, y 30 minutos más para el reposo
DIFICULTAD: baja

En total
- 3.615 Kcal
- Prótidos: 25 g
- Lípidos: 210,5 g
- Carbohidratos: 405 g

Ingredientes
- 500 g de harina sin gluten
- 250 g de mantequilla
- 170 ml de agua muy fría
- 1 pizca de sal

Para empezar, se mezcla la harina con la sal; se incorpora luego la mantequilla en taquitos.

Se trabaja la mezcla para que la masa se amalgame bien y se reduzca a migas; se añade agua fría y se amasa; luego se deja reposar la masa hecha un panecillo, envuelta en plástico transparente, durante unos 30 minutos en la nevera.

Es posible realizar esta pasta utilizando también huevos (se obtendrá una especie de pastaflora no dulce). En ese caso, hay que sustituir el peso del agua indicado en la receta por un peso igual de huevos (una media de 50-55 g cada uno) por un máximo de dos huevos enteros.

Pastaflora

PREPARACIÓN: 10 minutos, y 30 minutos más para el reposo
COCCIÓN: 10 minutos
DIFICULTAD: baja

En total
- 4.728 Kcal
- Prótidos: 47 g
- Lípidos: 236 g
- Carbohidratos: 615 g

Ingredientes
- 500 g de harina sin gluten
- 250 g de mantequilla
- 200 g de azúcar
- 2 yemas
- 2 huevos enteros
- 1 pizca de sal
- corteza rallada de limón
- vainillina

Se mezcla primero la harina con la sal, el azúcar, la corteza rallada y la vainillina, y luego se incorpora la mantequilla en trocitos.

Se trabaja la mezcla para que la masa se amalgame bien y se reduzca a migas; a continuación, se añaden las yemas y los huevos enteros, y se trabaja brevemente para evitar que la pasta «se caliente».

Seguidamente, se forma un panecillo y se deja reposar, envuelto en plástico transparente, durante unos 30 minutos en el frigorífico.

Para la cocción «en blanco» se extiende y hornea a 200 °C durante unos 10 minutos.

Masa para brioches

PREPARACIÓN: 20 minutos, y 1 hora más para la fermentación
COCCIÓN: 20 minutos
DIFICULTAD: media

En total
- 5.063 Kcal
- Prótidos: 72,9 g
- Lípidos: 212,3 g
- Carbohidratos: 735,6 g

Ingredientes
- 500 g de harina sin gluten
- 300 g de azúcar
- 300 g de huevos
- 200 g de mantequilla fundida tibia
- 300 ml de leche fría
- 2 sobrecitos de levadura para dulces

Se mezcla la harina con el azúcar y la levadura, se incorporan el resto de ingredientes y se trabaja hasta obtener una mezcla dura. Seguidamente, se deja la masa durante unos 30 minutos en un recipiente cubierto con plástico transparente, en un lugar tibio.

Trascurrido ese tiempo, se rompe la fermentación, empezando a amasar velozmente, y se divide la masa en los moldes elegidos, untados con mantequilla.

Se deja nuevamente unos 30 minutos más, se unta con huevo o jarabe de azúcar con ayuda de un pincel y, a gusto propio, se decora con fideos de chocolate o azúcar.

Para acabar, se hornea a 180 °C unos 20 minutos (el tiempo de cocción es proporcional a las dimensiones de los brioches: cuanto más grandes sean, más tiempo deberán estar en el horno).

Pasta choux

PREPARACIÓN: 20 minutos
COCCIÓN: 20 minutos
DIFICULTAD: media

En total
- 3.016 Kcal
- Prótidos: 54, 4 g
- Lípidos: 201,3 g
- Carbohidratos: 246,7 g

Ingredientes
- 300 g de harina sin gluten
- 300 g de huevos
- 200 g de mantequilla
- 500 ml de agua
- 1 pizca de sal

Se lleva a ebullición el agua salada junto con la mantequilla. Se agrega la harina y se mezcla velozmente hasta obtener una masa dura. Debe cocerse a fuego fuerte unos 5 minutos, hasta que la masa deje de pegarse a las paredes del recipiente. Seguidamente, se vierte en una superficie de trabajo y se deja enfriar. Cuando la masa esté tibia, se coloca en un cuenco y se le incorporan uno a uno los huevos.

Una vez obtenida una masa con la consistencia adecuada (tiene que caer de la cuchara, sin llegar a «chorrear»), debe ponerse en una manga pastelera con boquilla lisa y formar, sobre una placa cubierta con papel parafinado para horno, pequeños buñuelos, con cuidado de distanciarlos lo suficiente como para que no se toquen tras la cocción.

Se hornean con el horno a unos 180 °C durante 20 minutos aproximadamente.

Para acabar, se dejan enfriar y se rellenan al gusto.

Masa para cruasanes

PREPARACIÓN: 40 minutos, más el tiempo para el reposo
COCCIÓN: 20 minutos
DIFICULTAD: alta

En total
- 7.337 Kcal
- Prótidos: 75,3 g
- Lípidos: 462,5 g
- Carbohidratos: 738,9 g

Ingredientes
- 300 g de masa para brioches (receta pág. 35)
- 300 g de mantequilla

Es posible realizar una masa para cruasanes salada evitando añadir el azúcar a la masa para brioches.

Para empezar, se extiende la pasta, se echa por encima la mantequilla reblandecida y se le da 3 «vueltas», tal como se hace con el hojaldre (receta de la pág. 38).

Se refrigera en la nevera durante al menos 45 minutos entre una vuelta y la otra, y también al final del trabajo.

Seguidamente, se extiende la masa y se recortan triángulos bastante altos, con la base estrecha.

Se humedecen ligeramente los bordes de los triángulos, se coloca en su centro el relleno previsto (mermelada, chocolate, nata, miel...) y se enrollan sobre sí mismos empezando por la base.

Deben dejarse fermentar unos 30 minutos en un lugar tibio.

Hay que dejar que se hagan en el horno precalentado a 180 °C durante unos 20 minutos.

Masa para focaccias

PREPARACIÓN: 10 minutos, y 40 minutos más para la fermentación
COCCIÓN: 15-20 minutos
DIFICULTAD: baja

En total
- 2.440 Kcal
- Prótidos: 23 g
- Lípidos: 82 g
- Carbohidratos: 402,5 g

Ingredientes
- 500 g de harina sin gluten
- 350 ml de agua
- 2 sobrecitos de levadura seca deshidratada para pan
- 1 pizca de sal
- 8 cucharadas de aceite
- sal gorda

Se mezclan la harina y la levadura y a continuación se añade la sal; se diluye todo con agua y aceite y se amasa enérgicamente. Hay que trabajarlo bien para obtener una masa blanda y elástica.

Se forma entonces una focaccia, apretando con la punta de los dedos para obtener los clásicos «agujeros». Seguidamente, se añade sal gorda a la superficie. Luego se deja fermentar la masa cubierta por plástico transparente unos 40 minutos.

Para terminar, se hornea con el horno previamente calentado a 250 °C durante unos 15 minutos.

Masa para pan

PREPARACIÓN: 10 minutos, y 40 minutos más para la fermentación
COCCIÓN: 25-40 minutos
DIFICULTAD: media

En total
- 1.720 Kcal
- Prótidos: 23 g
- Lípidos: 2 g
- Carbohidratos: 402,5 g

Ingredientes
- 500 g de harina sin gluten
- 300 ml de agua
- 1 sobrecito de levadura seca deshidratada para pan
- 1 pizca de sal
- aceite de oliva virgen extra

Se mezclan la harina y la levadura y a continuación se añade la sal; se diluye todo con el agua y se amasa enérgicamente. Hay que trabajarlo bien para obtener una masa blanda y elástica.

Se deja fermentar la masa durante 30-40 minutos envuelta en plástico transparente; luego se forman las piezas deseadas y se untan con una emulsión de agua y aceite con ayuda de un cepillito.

Deben hornearse con el horno ya caliente: a 220 °C durante 25 minutos los panes pequeños y a 180 °C durante unos 40 minutos las barras grandes.

Es posible agregar a la masa nueces, olivas, castañas u otros ingredientes al gusto; como alternativa, también resulta posible sustituir una parte del agua (unos 100 ml) por leche. Además, se pueden espolvorear sobre la superficie del pan (después de untarle huevo batido con un pincel) semillas de amapola, sésamo o pipas de girasol peladas.

Masa para tortitas de pan ácimo

PREPARACIÓN: 15 minutos
COCCIÓN: 5 minutos
DIFICULTAD: baja

En total
- 1.720 Kcal
- Prótidos: 23 g
- Lípidos: 2 g
- Carbohidratos: 402,5 g

Ingredientes
- 500 g de harina sin gluten
- 300 ml de agua
- 1 pizca de sal

Para empezar, se mezclan la harina y la sal, se añade el agua y se amasa enérgicamente. Hay que trabajarlo hasta obtener una masa blanda y elástica.

Se forman entonces unas bolitas, se extienden hasta que quedan muy finas con ayuda del rodillo y se cocinan en una sartén antiadherente a fuego fuerte.

Hojaldre

PREPARACIÓN: 45 minutos, más el tiempo para el reposo
DIFICULTAD: alta

En total
- 5.510 Kcal
- Prótidos: 27 g
- Lípidos: 419 g
- Carbohidratos: 408 g

Ingredientes
- 500 g de harina sin gluten
- 500 g de mantequilla
- 300 ml de agua
- 1 pizca de sal

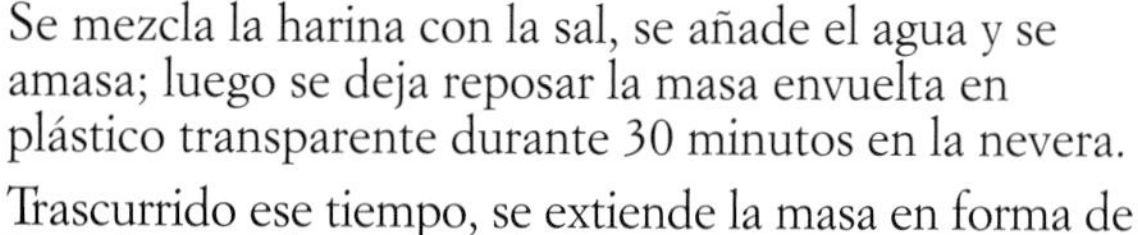

Se mezcla la harina con la sal, se añade el agua y se amasa; luego se deja reposar la masa envuelta en plástico transparente durante 30 minutos en la nevera.

Trascurrido ese tiempo, se extiende la masa en forma de hoja fina y se le confiere forma cuadrada. Se extiende por encima la mantequilla con un espesor de 1 cm aproximadamente, se pliegan los bordes hasta que quede bien cubierto y se sella bien. Hay que extender la masa con cuidado para formar una tira más bien estrecha; entonces se pliegan las partes externas hacia el interior y se vuelve a doblar una vez más por la mitad.

Tiene que dejarse reposar la masa envuelta en plástico transparente unos 30 minutos, en la nevera.

Se gira la masa hacia la derecha 90°, se extiende hasta formar una tira, se pliegan las partes externas hacia el interior y se vuelve a doblar por la mitad.

Se deja reposar nuevamente, se extiende y se gira hasta dar a la pasta una rotación de 360° (4 vueltas de hoja).

Para terminar, se deja reposar la masa envuelta en plástico transparente unos 30 minutos en la nevera.

Para su uso, se extiende la hoja con el grosor deseado y con la forma que se quiera y se utiliza según la receta.

Masa para freír

PREPARACIÓN: 5 minutos, y 45 minutos más para el reposo
DIFICULTAD: baja

En total
- 307 Kcal
- Prótidos: 13,5 g
- Lípidos: 11,07 g
- Carbohidratos: 38,8 g

Ingredientes
- 40 g de harina sin gluten
- 125 ml de leche
- 1 huevo
- sal
- pimienta

Se bate en un cuenco el huevo junto con la leche; se salpimienta y se añade harina tamizada poco a poco, sin dejar de remover para evitar la formación de grumos.

Seguidamente, se cubre con un plástico transparente y se deja reposar unos 45 minutos antes de utilizarla.

PREPARACIÓN: 10 minutos
COCCIÓN: 15 minutos
DIFICULTAD: baja

Bastoncillos de queso

Por cada porción
- 530 Kcal
- Prótidos: 12,8 g
- Lípidos: 8,1 g
- Carbohidratos: 101,5 g

Ingredientes para 4 personas
- 250 g de masa para pan (receta pág. 37)
- 100 g de queso gruyer rallado
- perejil picado
- pimienta de cayena

Se extiende con el rodillo la masa de pan formando un rectángulo.

Se esparce por encima el queso, el perejil y la pimienta.

Se dobla la masa por la mitad y se extiende nuevamente con el rodillo, para que el relleno se adhiera bien a la masa.

Se recortan de este rectángulo varias tiras de iguales dimensiones utilizando un cuchillo afilado. Se retuercen los bastoncillos girando con las manos los dos extremos en sentido opuesto.

Para terminar, se colocan los bastoncillos en una bandeja engrasada y se cuecen con el horno caliente a 200 °C hasta que estén bien dorados (unos 15 minutos).

Pueden servirse tibios o fríos.

PREPARACIÓN: 20 minutos
COCCIÓN: 5 minutos
DIFICULTAD: media

Buñuelos de queso

Por cada porción
- 792 Kcal
- Prótidos: 28 g
- Lípidos: 58 g
- Carbohidratos: 39,6 g

Ingredientes para 4 personas
- 400 g de pasta choux (receta pág. 35)
- 400 g de queso blando
- 100 g de huevo entero
- 100 g de queso grana rallado
- 200 ml de nata
- pimienta negra y sal

Por una parte, se preparan pequeños buñuelos con la pasta choux. Por otro, se bate el queso blando con la nata hasta obtener una crema homogénea.

Con ayuda de una manga pastelera se rellenan los buñuelos con la crema de queso.

En un cuenco, se mezclan el queso grana rallado con el huevo; seguidamente, se colocan cuatro o cinco buñuelos en pequeños recipientes para horno, se vierte un poco de la mezcla de huevo y se gratinan con el horno muy caliente durante 5 minutos.

Hay que repetir la operación hasta agotar los ingredientes.

Es posible aromatizar la crema de queso con hierbas frescas, pimentón o pimienta.

Focaccia con hierbas aromáticas

PREPARACIÓN: 15 minutos, y 15 minutos más para el reposo
COCCIÓN: 15 minutos
DIFICULTAD: media

Por cada porción
- 457 Kcal
- Prótidos: 5,7 g
- Lípidos: 3 g
- Carbohidratos: 101,9 g

Ingredientes
para 4 personas
- 500 g de harina sin gluten
- 350 ml de agua
- 5 g de azúcar
- 3 cucharaditas de sal
- 8 cucharadas de aceite de oliva virgen extra
- 2 sobrecitos de levadura
- romero
- tomillo
- salvia
- sal gorda

Se mezcla en un cuenco la harina con la levadura deshidratada, y se incorpora luego el azúcar. Se amasa añadiendo el agua hasta obtener una mezcla homogénea. Hacia la mitad del amasado hay que incorporar la sal y las hierbas aromáticas.

Seguidamente, se extiende la masa en una bandeja previamente engrasada con aceite, se agujerea con los dedos (obteniendo el aspecto típico de la focaccia), se espolvorean sobre la masa algunos granos de sal gorda y se añade un chorrito de aceite. Se cubre con un plástico transparente y se deja reposar unos 15 minutos.

Para terminar, se cuece con el fuego previamente calentado a 180 °C durante 15-20 minutos.

Bocaditos de huevo y queso

PREPARACIÓN: 25 minutos, y 3 horas más para el reposo
COCCIÓN: 15 minutos
DIFICULTAD: media

Por cada porción
- 1.176 Kcal
- Prótidos: 29,5 g
- Lípidos: 71,6 g
- Carbohidratos: 103,5 g

Ingredientes para 4 personas
- 500 g de harina sin gluten
- 250 g de mantequilla
- 200 g de queso grana rallado
- 2 huevos
- 2 yemas
- sal
- almendras enteras peladas

Se mezcla la harina con una pizca de sal; se añade el queso y se remueve bien. Seguidamente se añade la mantequilla en pedacitos, se mezcla todo bien y, por último, se añaden las yemas y los huevos enteros. Hay que trabajarlo brevemente.

Entonces se refrigera en la nevera durante al menos 3 horas.

Trascurrido ese tiempo, se saca la masa de la nevera y se extiende con un espesor de 1 cm aproximadamente. Se recortan entonces unos cuadrados de 4 cm de lado y se coloca sobre cada uno de ellos una almendra pelada.

Hay que hornearlos unos 15 minutos a 180 °C, hasta que la masa esté dorada.

Estos bocaditos son óptimos para un aperitivo.

Jardinera

PREPARACIÓN: 30 minutos, y 29 horas más para el reposo
DIFICULTAD: baja

Por cada porción
- 572 Kcal
- Prótidos: 7,5 g
- Lípidos: 51 g
- Carbohidratos: 22,2 g

Ingredientes para 4 personas
- 2 kg de verduras y hortalizas de temporada
- 1 l de vinagre blanco
- 1 vaso de aceite de oliva virgen extra
- 1 diente de ajo
- sal gorda

Se limpian, se lavan y se cortan en pedacitos las verduras de temporada; se recogen en una ensaladera, añadiendo un puñado de sal gorda por cada kilogramo de verdura.

Se dejan reposar durante 24 horas, y después se secan y se vuelven a colocar en la ensaladera.

Seguidamente, se cubren con el vinagre y se dejan reposar 5 horas más.

A continuación, se secan las verduras y se colocan en un frasco con el ajo pelado. Deben cubrirse con aceite de oliva virgen extra y conservarse en un lugar oscuro.

Ensalada de gambas y melón

PREPARACIÓN: 15 minutos
COCCIÓN: 1 minuto
DIFICULTAD: baja

Por cada porción
- 306 Kcal
- Prótidos: 18 g
- Lípidos: 21 g
- Carbohidratos: 11,5 g

Ingredientes
para 4 personas
- 500 g de gambas
- 100 g de ensalada variada
- 80 ml de aceite de oliva virgen extra
- medio melón
- 1 limón
- jengibre fresco
- sal

Para empezar, se pelan y se limpian las gambas. Se cuecen en agua hirviendo acidulada con la mitad del limón durante 1 minuto aproximadamente.

Se pela el melón y se corta en lonchas pequeñas. Se pela y se ralla el jengibre.

Seguidamente, se prepara una emulsión con el resto del limón y el aceite: se exprime el jugo del limón, se vierte en un cuenco con una pizca de sal, se bate bien, y cuando la sal se haya disuelto se incorpora el aceite en chorrito y se sigue emulsionando y aromatizando con el jengibre.

Para terminar, se coloca en un plato la ensalada, las gambas y el melón en alternancia de colores y se condimenta con la salsa de jengibre.

Ensalada griega

PREPARACIÓN: 5 minutos
DIFICULTAD: baja

Por cada porción
- 208 Kcal
- Prótidos: 6,8 g
- Lípidos: 18,9 g
- Carbohidratos: 2,8 g

Ingredientes
para 4 personas
- 150 g de queso feta en daditos
- 100 g de ensalada variada
- 100 g de tomates cherry
- 100 g de cebolla tierna
- 100 g de olivas negras
- albahaca
- aceite de oliva virgen extra
- pimienta y sal

Se limpian y se cortan las verduras en pedazos.

Se distribuyen por la bandeja de servir, y se añaden el queso feta, las olivas y la albahaca picada. Para acabar, se salpimienta y se aliña con aceite de oliva virgen extra.

Ensaladilla rusa

PREPARACIÓN: 15 minutos
COCCIÓN: 10 minutos
DIFICULTAD: baja

En total
- 2.030 Kcal
- Prótidos: 42,6 g
- Lípidos: 146,8 g
- Carbohidratos: 143,6 g

Ingredientes
para 4 personas
- 200 g de guisantes
- 200 g de mayonesa
- 2 zanahorias
- 2 patatas
- 2 pepinos en vinagre
- 2 huevos duros
- 1 rama de apio
- vinagre

Se pelan, se lavan y se cortan las verduras en daditos; se cuecen al vapor, se escurren y se dejan enfriar.

A continuación, se colocan en un cuenco las verduras con los pepinos cortados en daditos; se aliñan con dos cucharadas de mayonesa y una de vinagre.

Se remueve bien, se nivela la superficie y se cubre con el resto de la mayonesa.

Para terminar, se decora al gusto con los huevos duros en rodajas. Debe servirse para acompañar jamón dulce en lonchas.

Rollitos de cecina

PREPARACIÓN: 5 minutos
DIFICULTAD: baja

Por cada porción
- 408 Kcal
- Prótidos: 39,5 g
- Lípidos: 26 g
- Carbohidratos: 1,5 g

Ingredientes
para 4 personas
- 200 g de cecina
- 400 g de queso fresco de cabra
- aceite de oliva virgen extra
- hierbas aromáticas
- pimienta y sal

Se mezclan en un cuenco el queso de cabra, el aceite, las hierbas aromáticas picadas, la sal y la pimienta.

Se extiende la mezcla sobre las lonchas de cecina, que se enrollan y se colocan en la bandeja para servir.

Pizza margarita

PREPARACIÓN: 10 minutos, y 30-40 minutos más para la fermentación
COCCIÓN: 10 minutos
DIFICULTAD: baja

En total para la masa base
- 2.080 Kcal
- Prótidos: 23 g
- Lípidos: 42 g
- Carbohidratos: 402,5 g

Ingredientes

PARA LA MASA BASE
- 500 g de harina sin gluten
- 300 ml de agua
- 1 sobrecito de levadura seca
- 1 pizca de sal
- 4 cucharadas de aceite de oliva virgen extra

PARA EL RELLENO
- 250 g de mozzarella
- 150 g de tomate triturado
- 1 cucharada de aceite de oliva virgen extra, albahaca

Para empezar, se mezclan la harina y la levadura, y se añade luego la sal; entonces se diluye con el agua y el aceite y se amasa enérgicamente. Hay que trabajar con cuidado para obtener una masa blanda y elástica.

Se deja fermentar la masa durante 30-40 minutos, cubierta con plástico transparente, y luego se extiende en una fuente engrasada intentando obtener un grosor uniforme.

Se distribuye luego el tomate triturado por encima, se añade la mozzarella cortada en dados, se condimenta con aceite y se añaden algunas hojas de albahaca.

Por último, se hornea a 250 °C unos 10 minutos.

MODIFICAR AL GUSTO, PERO CON CUIDADO

El relleno de la pizza puede ser modificado al gusto cambiando los ingredientes pero asegurándose siempre de que carecen de gluten.

Pizzetas de hojaldre

PREPARACIÓN: 10 minutos
COCCIÓN: 8 minutos
DIFICULTAD: baja

Por cada porción
- 872 Kcal
- Prótidos: 13,6 g
- Lípidos: 66,5 g
- Carbohidratos: 54,9 g

Ingredientes para 4 personas

PARA LA BASE
- 500 g de hojaldre (receta pág. 38)

PARA EL RELLENO
- 250 g de tomates pelados
- 150 g de mozzarella
- 50 g de anchoas
- 30 ml de aceite de oliva virgen extra, orégano, sal

Se lavan y se escurren los tomates y se tritura su pulpa; se les añade sal, aceite y orégano.

A continuación, se corta la mozzarella en daditos y las anchoas en trocitos.

Debe extenderse la pasta hasta obtener un grosor de 3 mm; entonces se corta con un cortapastas redondo (como alternativa se puede cortar en losanges con ayuda de un cortador).

Sobre cada disco de pasta se coloca una cucharada de tomate y se hornean a 200 °C durante 7-8 minutos.

A la mitad de la cocción, se añaden las anchoas y la mozzarella.

Estas pizzetas deben servirse calientes.

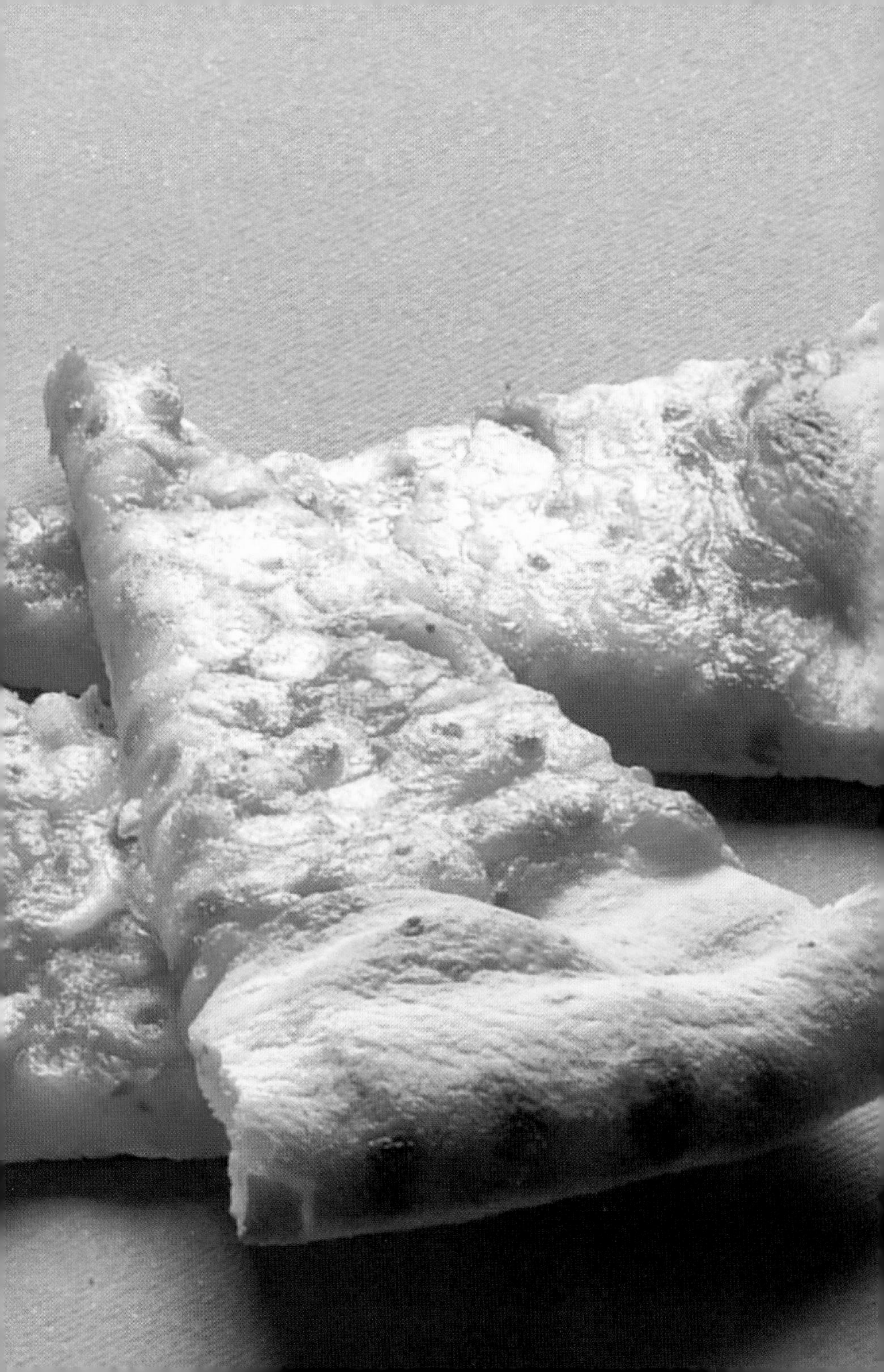

Quiche de tomates y mozzarella

PREPARACIÓN: 20 minutos
COCCIÓN: 40 minutos
DIFICULTAD: media

Por cada porción
- 677 Kcal
- Prótidos: 16,8 g
- Lípidos: 42,8 g
- Carbohidratos: 56,4 g

Ingredientes
para 4 personas

PARA LA BASE
- 400 g de pasta quebrada (receta pág. 33)

PARA EL RELLENO
- 500 g de tomates
- 125 g de mozzarella
- 20 ml de nata
- 3 huevos
- albahaca
- pimienta y sal

Para empezar, se extiende la pasta quebrada, se forra con ella un molde previamente cubierto con papel parafinado para horno, y se agujerea el fondo con un tenedor.

Se escaldan los tomates en agua hirviendo, se escurren y se dejan en remojo en agua fría; se pelan, se eliminan las semillas, se cortan en daditos y se colocan sobre la pasta.

Seguidamente se corta la mozzarella en daditos y se coloca sobre la pasta; se espolvorea con albahaca troceada.

En un cuenco, se baten los huevos con la nata y se salpimientan. Esta mezcla debe verterse sobre la pasta en el momento de hornear.

A continuación, se hornea a 180 °C durante 40 minutos.

Para terminar, se deja enfriar, se saca del molde y se sirve.

Quiche de calabaza con guisantes

PREPARACIÓN: 20 minutos con la cocción de la calabaza
COCCIÓN: 30 minutos
DIFICULTAD: media

Por cada porción
- 1.288,7 Kcal
- Prótidos: 27,9 g
- Lípidos: 80,3 g
- Carbohidratos: 114,4 g

Ingredientes
para 4 personas

PARA LA BASE
- pasta quebrada (receta pág. 33)

PARA EL RELLENO
- 500 g de calabaza pelada
- 200 g de guisantes en lata
- 150 g de queso de oveja
- 20 g de mantequilla
- 150 g de nata
- 3 huevos
- pimienta negra y sal

Se corta la calabaza en trocitos, se saltea en la mantequilla y se salpimienta. Se deja reposar.

Mientras tanto, se saca la pasta quebrada de la nevera, se extiende la masa y se forra con ella una tortera cubierta con papel para horno untado con mantequilla.

A continuación, se mezclan la calabaza y los guisantes escurridos y se rellena la torta con las verduras.

Luego se baten los huevos enteros con pimienta y sal, y se añaden la nata y el queso de oveja rallado. En el momento de hornear, se vierte la mezcla de queso sobre las verduras.

Hay que hornear a 180 °C durante unos 30 minutos hasta que la calabaza y los guisantes estén dorados.

Quiche lorraine

PREPARACIÓN: 20 minutos
COCCIÓN: 30 minutos
DIFICULTAD: baja

Por cada porción
- 845 Kcal
- Prótidos: 25 g
- Lípidos: 69,6 g
- Carbohidratos: 29,5 g

Ingredientes
para 4 personas

PARA LA BASE
- 200 g de pasta quebrada (receta pág. 33)

PARA EL RELLENO
- 150 g de cebolla
- 150 g de queso emmental
- 150 g de panceta
- 100 g de queso grana rallado
- 100 ml de nata para cocinar
- 3 huevos
- aceite de oliva virgen extra
- pimienta y sal

Se corta en tiras la panceta y se sofríe en una sartén antiadherente; se elimina el exceso de grasa y se reserva.

Seguidamente, se corta la cebolla en rodajas y se sofríe en un poco de aceite de oliva.

A continuación, se corta el emmental en daditos.

Se baten los huevos con sal y pimienta; se incorporan el queso grana y la nata y se reservan.

Entonces se extiende la pasta y se forra con ella una tortera cubierta con papel para horno: debe colocarse sobre la masa la panceta, la cebolla y el queso.

La torta debe cubrirse con la mezcla de huevos justo antes de hornear a 180 °C durante unos 30 minutos.

Debe dejarse entibiar antes de servir.

QUICHE Y PIZZAS IMPECABLES

Una vez extendidas, las masas para tartas saladas pueden colocarse en moldes antiadherentes tal como están; si se desea utilizar torteras de tipo tradicional, en cambio, es recomendable forrarlas con papel parafinado para horno. Antes de añadirse el relleno, la masa debe agujerarse con un tenedor, de forma que no se infle durante la cocción. Una vez vertido el relleno, además, hay que hornearlas al momento a temperatura elevada. Después de sacarla del horno, hay que dejar que la quiche se entibie antes de desmoldarla, y no debe cubrirse hasta que no esté completamente fría.

PREPARACIÓN: 15 minutos
COCCIÓN: 15 minutos
DIFICULTAD: baja

Empanadillas de cebolla

Por cada porción
- 497 Kcal
- Prótidos: 3,6 g
- Lípidos: 43,2 g
- Carbohidratos: 23,6 g

Ingredientes para 4 personas

PARA LA BASE
- 200 g de hojaldre (receta pág. 38)

PARA EL RELLENO
- 200 g de cebollas rojas
- 100 g de mantequilla
- 100 ml de agua
- 50 g de huevo
- salvia
- pimienta negra y sal
- salsa de cebollas

Se cortan las cebollas en rodajas finas, se sofríen con mantequilla evitando que se doren demasiado y se salpimientan; luego se incorpora la salvia picada y se llevan a cocción regando con agua fría.

Seguidamente se extiende el hojaldre y se recortan en él varios discos de unos 8 cm de diámetro.

Hay que humedecer el borde de estos discos, colocar en el centro de cada uno de ellos un poco del relleno y doblarlos por la mitad para formar medialunas. La superficie tiene que untarse con huevo batido.

Para terminar, se hornean a 180 °C unos 15 minutos.

Las empanadillas deben servirse acompañadas de salsa de cebollas.

Para preparar la salsa de cebollas se pueden emplear los mismos ingredientes del relleno y triturarlos a baja velocidad hasta obtener una crema.

Es posible rellenar las empanadillas con jamón, queso, setas o cualquier otro ingrediente, al gusto. En general, se sirven como aperitivo, o bien, si se hacen más grandes, como entremés acompañadas de fondue de queso, salsa de anchoas, tomate fresco, etc.

Tarta de puerros

PREPARACIÓN: 30 minutos con la cocción de los puerros
COCCIÓN: 30 minutos
DIFICULTAD: media

Por cada porción
- 500 Kcal
- Prótidos: 14 g
- Lípidos: 32 g
- Carbohidratos: 40 g

Ingredientes para 6 personas

PARA LA BASE
- pasta quebrada (receta pág. 33)

PARA EL RELLENO
- 500 g de puerros
- 250 g de patatas
- 250 g de queso gorgonzola
- 150 g de queso grana rallado
- 40 g de mantequilla
- 3 huevos
- pimienta negra y sal

Se cuecen los puerros al vapor, se cortan en rodajas, se saltean en una sartén con la mitad de la mantequilla y se salpimientan. Seguidamente, se hierven las patatas, se cortan en pedacitos, se saltean en el resto de la mantequilla y se salpimientan.

A continuación, se saca la pasta de la nevera, se extiende y se forra con ella una tortera cubierta con papel para horno.

Seguidamente se reblandece el gorgonzola trabajándolo con una cuchara de madera, se añade a las verduras y se rellena la base de pasta.

Entonces se baten los huevos enteros con pimienta, sal y queso grana rallado y se distribuye esta mezcla por encima de las verduras.

Para terminar, se hornea a 180 °C durante 30 minutos aproximadamente, hasta que las verduras estén doradas.

PREPARACIÓN: 15 minutos
COCCIÓN: 30 minutos
DIFICULTAD: media

Tarta de requesón y espinacas

Por cada porción
- 878 Kcal
- Prótidos: 22 g
- Lípidos: 66,7 g
- Carbohidratos: 48 g

Ingredientes para 6 personas

PARA LA BASE
- 400 g de hojaldre (receta pág. 38)

PARA EL RELLENO
- 300 g de requesón
- 150 g de espinacas hervidas
- 50 ml de leche
- 50 ml de nata
- 3 huevos
- queso grana rallado
- nuez moscada
- pimienta y sal

Se bate un huevo y se mezcla en un cuenco con el requesón y las espinacas escurridas y picadas; se incorporan 4 cucharadas de queso grana rallado y la nuez moscada. Seguidamente, se salpimienta y se mezcla todo bien.

A continuación, hay que extender la pasta preparada según la receta base para formar una lámina fina con la que forrar un molde redondo previamente cubierto con papel para horno. Debe conservarse un poco de pasta para la cubierta: hay que extenderla formando un disco.

Se rellena entonces la tarta con la mezcla del requesón y las espinacas.

Se bate el resto de huevos con la leche y la nata; se salpimienta y se añade nuez moscada.

En el momento de hornear hay que verter sobre la tarta la mezcla de huevos; se cubre con el disco de hojaldre, se sellan los bordes y se agujerea con un tenedor.

Debe cocerse a 180 °C durante unos 30 minutos.

Tartaletas de verduras

PREPARACIÓN: 30 minutos con la cocción de las verduras
COCCIÓN: 30 minutos
DIFICULTAD: media

Por cada porción
- 1.739 Kcal
- Prótidos: 24,8 g
- Lípidos: 132,8 g
- Carbohidratos: 111,8 g

Ingredientes
para 4 personas

PARA LA BASE
- hojaldre (receta pág. 38)

PARA EL RELLENO
- 80 g de queso emmental
- 40 g de queso grana rallado
- 100 ml de leche
- 100 ml de nata
- 40 ml de aceite de oliva virgen extra
- 2 puerros
- 2 calabacines
- 2 huevos
- nuez moscada
- pimienta y sal

Se limpian y cortan en rodajas las verduras. Se estofan los puerros con un poco de aceite, agua, pimienta y sal, hasta que se reblandezcan. Se saltean entonces los calabacines en una sartén antiadherente con poco aceite. Se salpimientan. Se corta el emmental en daditos.

A continuación, se baten los huevos con la leche y la nata; se añade sal, pimienta y nuez moscada.

Se forran cuatro moldes con el hojaldre.

Para terminar, se rellenan con las verduras, el emmental y el queso grana rallado. En el momento de hornear, se cubren con la mezcla de huevos y leche. Hay que hornear las tortitas a 180 °C durante unos 30 minutos. Deben dejarse entibiar antes de retirar los moldes.

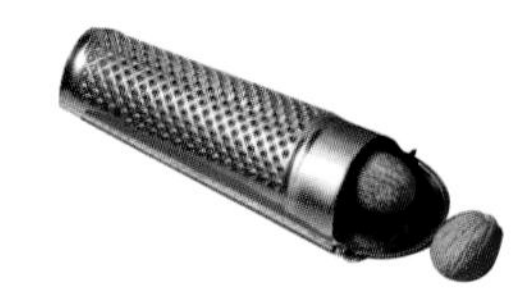

Tartaletas saladas con zanahorias

PREPARACIÓN: 15 minutos
COCCIÓN: 35 minutos
DIFICULTAD: baja

Por cada porción
- 345 Kcal
- Prótidos: 9,4 g
- Lípidos: 20,8 g
- Carbohidratos: 30,1 g

Ingredientes
para 6 personas

PARA LA BASE
- 200 g de pasta quebrada (receta pág. 33)

PARA EL RELLENO
- 250 g de zanahorias
- queso grana rallado
- 2 huevos
- sal, canela en polvo

En primer lugar se lavan las zanahorias, se cortan en trocitos y se cuecen al vapor. Seguidamente se pasan por el pasapurés, se salan y se les añade canela y abundante queso grana rallado.

En un cuenco, se baten los huevos y se incorporan a la zanahoria.

Se forran con la pasta quebrada pequeños moldes previamente cubiertos con papel para horno. En el momento de hornear, se rellenan con la mezcla de zanahorias.

Deben dejarse hornear a 180 °C durante 35 minutos.

Finalmente, se desmoldan y se dejan enfriar sobre una parrilla antes de servir.

PREPARACIÓN: 20 minutos, y 4 horas más para el reposo
COCCIÓN: 20 minutos
DIFICULTAD: baja

Triángulos de pasta de garbanzos

Por cada porción
- 466 Kcal
- Prótidos: 23,7 g
- Lípidos: 12,3 g
- Carbohidratos: 65 g

Ingredientes para 4 personas
- 500 g de harina de garbanzos
- romero
- aceite de oliva virgen extra
- pimienta y sal

Se pone la harina de garbanzos en un amplio cuenco y se diluye con un litro y medio de agua fría vertida en un chorrito muy fino, removiendo bien con una cuchara de madera. Una vez se obtenga una masa lisa y uniforme, se añade una cucharadita rasa de sal, se cubre y se deja reposar unas 4 horas.

Pasado ese tiempo, deberá retirarse la espuma que se haya formado en la superficie con una espumadera y se tendrá que volver a remover.

A continuación, se engrasa una bandeja para horno. Se vierte en ella la mezcla, se espolvorea con romero picado y se hornea a 200 °C durante unos 20 minutos. La pasta de garbanzos estará lista cuando la superficie haya adquirido un agradable color dorado.

Entonces deberá cortarse en triángulos y servirse de inmediato, bien caliente y con abundante pimienta.

PASTA DE GARBANZOS

Esta pasta consiste en una mezcla líquida de agua, harina de garbanzos, aceites y hierbas aromáticas que se dora en una bandeja en el horno. Es una especialidad de algunas regiones italianas, como Liguria, Toscana y parte del Piamonte, y se hacía tradicionalmente en hornos de leña.

Bolitas tirolesas

PREPARACIÓN: 20 minutos
COCCIÓN: 20 minutos
DIFICULTAD: media

Por cada porción
- 375 Kcal
- Prótidos: 13 g
- Lípidos: 18 g
- Carbohidratos: 40 g

Ingredientes para 6 personas
- 150 g de harina blanca sin gluten
- 250 g de pan duro blanco sin gluten
- 70 g de speck
- 70 g de tocino ahumado
- 50 g de salchichón
- 250 ml de leche
- 3 huevos
- 2 l de caldo
- cebollino, perejil
- nuez moscada, sal

Se baten los huevos con la leche en una sopera; se corta el pan en trocitos y se reblandece en los huevos con leche.

A continuación, se añade el speck, el salchichón y el tocino, cortados en daditos muy pequeños; el cebollino, cortado fino; el perejil, rallado; y, finalmente, la sal y la nuez moscada.

Debe mezclarse todo bien e incorporar la harina tamizada, sin dejar de remover, hasta obtener una masa homogénea y de buena consistencia.

Con esta masa se hacen unas bolitas aproximadamente del tamaño de un albaricoque, que deberán hervirse durante 20 minutos en agua hirviendo. Seguidamente se colocan en una sopera o en un plato hondo individual y se cubren con el caldo caliente.

Creps de alcachofa

PREPARACIÓN: 15 minutos con la cocción de las verduras
COCCIÓN: 5 minutos
DIFICULTAD: media

Por cada porción
- 454 Kcal
- Prótidos: 21,8 g
- Lípidos: 29,1 g
- Carbohidratos: 26,7 g

Ingredientes para 4 personas
- 8 creps (receta pág. 60)
- 4 alcachofas
- 100 g de queso Provola ahumado
- 30 g de queso grana
- 200 ml de bechamel
- 100 ml de nata fresca
- 1 diente de ajo, perejil
- aceite de oliva virgen extra
- mantequilla, pimienta y sal

Para empezar, se limpian bien las alcachofas y se cortan en rodajas. Se sofríen con un poco de aceite, ajo, perejil, pimienta, sal y un poco de agua. A continuación, se retiran del fuego y se les añade la bechamel tibia, el queso Provola en rodajitas y el queso grana rallado.

Se rellenan las creps con esta salsa y se enrollan para formar una especie de canelones. Se colocan en una bandeja para horno untada con mantequilla y se pintan con nata con ayuda de un pincel.

Para terminar, se hornean las creps a temperatura media durante unos minutos.

Creps de espárragos

PREPARACIÓN: 50 minutos con la cocción de las verduras
COCCIÓN: 30 minutos
DIFICULTAD: media

Por cada porción
- 691 Kcal
- Prótidos: 27,2 g
- Lípidos: 46,2 g
- Carbohidratos: 43,5 g

Ingredientes
para 4 personas

PARA 8 CREPS
- 70 g de harina sin gluten
- 170 ml de leche
- 2 huevos
- 1 pizca de sal
- mantequilla

PARA EL RELLENO
- 1 puerro
- 1 zanahoria
- 1 rama de apio
- 1 calabacín
- 1 manojo de espárragos (como alternativa pueden emplearse alcachofas o achicorias, en función de la temporada)
- hierbas aromáticas
- 40 ml de aceite de oliva virgen extra
- 40 g de mantequilla
- 80 g de queso grana
- pimienta y sal
- 500 ml de bechamel (receta pág. 30)
- 100 ml de nata

Se baten en un cuenco los huevos con una pizca de sal; se añade luego la harina tamizada sin dejar de remover; por último, removiendo aún, se va vertiendo la leche en chorrito. Debe dejarse reposar 30 minutos.

Mientras tanto, se calienta una nuez de mantequilla en una pequeña sartén antiadherente; se vierte en la sartén una cucharada de la pasta y se deja que se distribuya bien por el fondo; debe darse la vuelta a la crep en cuanto los bordes empiecen a coger color. Hay que hacer tantas creps como permita la cantidad de pasta.

Seguidamente, se limpian y se lavan bien las verduras. Se cortan en juliana y se doran juntos el puerro, el apio y la zanahoria con un poco de mantequilla. Luego se riegan con una cucharada de agua y se cuecen unos minutos. Se salpimientan.

Entonces se saltea el calabacín en una sartén antiadherente con un poco de aceite y se añade sal.

Se hierven los espárragos. Las hierbas aromáticas se limpian bien. A continuación se mezclan las verduras, las hierbas, la mitad de la bechamel y la mitad del queso grana.

Se coloca un poco de este relleno sobre las creps y se cierran en forma de rollitos. A continuación se colocan en una bandeja para horno untada con mantequilla. Se diluye el resto de la bechamel con la nata y se vierte sobre las creps.

Para terminar, se espolvorea con el queso.

Deben gratinarse al horno a 180 °C durante unos 10 minutos.

Creps de requesón y espinacas

PREPARACIÓN: 30 minutos con la cocción de las espinacas
COCCIÓN: 5 minutos
DIFICULTAD: baja

Por cada porción
- 420 Kcal
- Prótidos: 20,7 g
- Lípidos: 28,7 g
- Carbohidratos: 20,6 g

Ingredientes para 8 personas
- 8 creps (receta pág. 60)
- 1 kg de espinacas
- 800 g de requesón en crema
- 100 g de queso grana rallado
- 50 g de mantequilla
- 250 ml de bechamel (receta pág. 30)
- nuez moscada
- sal

Se lavan y hierven en poca agua las espinacas; se escurren, se trituran finamente y se pasan por la sartén con un poco de mantequilla.

Se tamiza el requesón en un cuenco y se incorpora el queso grana, la sal y la nuez moscada.

Seguidamente, se agregan las espinacas a la mezcla de requesón y se utiliza el preparado resultante para rellenar las creps.

A continuación, se cierran las creps en forma de rollito o de triángulo, se colocan en una bandeja para horno, se cubren de bechamel y, por último, se ponen a gratinar a 180 °C unos minutos.

Creps de achicoria roja

PREPARACIÓN: 10 minutos
COCCIÓN: 5 minutos
DIFICULTAD: media

Por cada porción
- 484 Kcal
- Prótidos: 25 g
- Lípidos: 32,2 g
- Carbohidratos: 24 g

Ingredientes para 4 personas
- 8 creps (receta pág. 60)
- 200 g de queso mantecoso
- 120 g de achicoria roja
- 60 g de queso grana rallado
- 250 ml de bechamel (receta pág. 30)
- lechuga
- nata

En primer lugar, se lava, se escurre y se corta en juliana fina la achicoria. Se corta en daditos el queso mantecoso.

A continuación, se mezcla la achicoria con el queso, la mitad del grana y la mitad de la bechamel fría. Se rellenan entonces las creps, que se plegarán en triángulo para cerrarlas y se colocarán en una bandeja untada con mantequilla. Seguidamente, se cubren con la bechamel todavía caliente.

Se espolvorea el resto del queso grana antes de gratinar las creps en el horno a 180-200 °C durante unos minutos.

Para servir, se acompañan al gusto con una crema de lechuga: se hierve la lechuga y se tritura con un poco de nata.

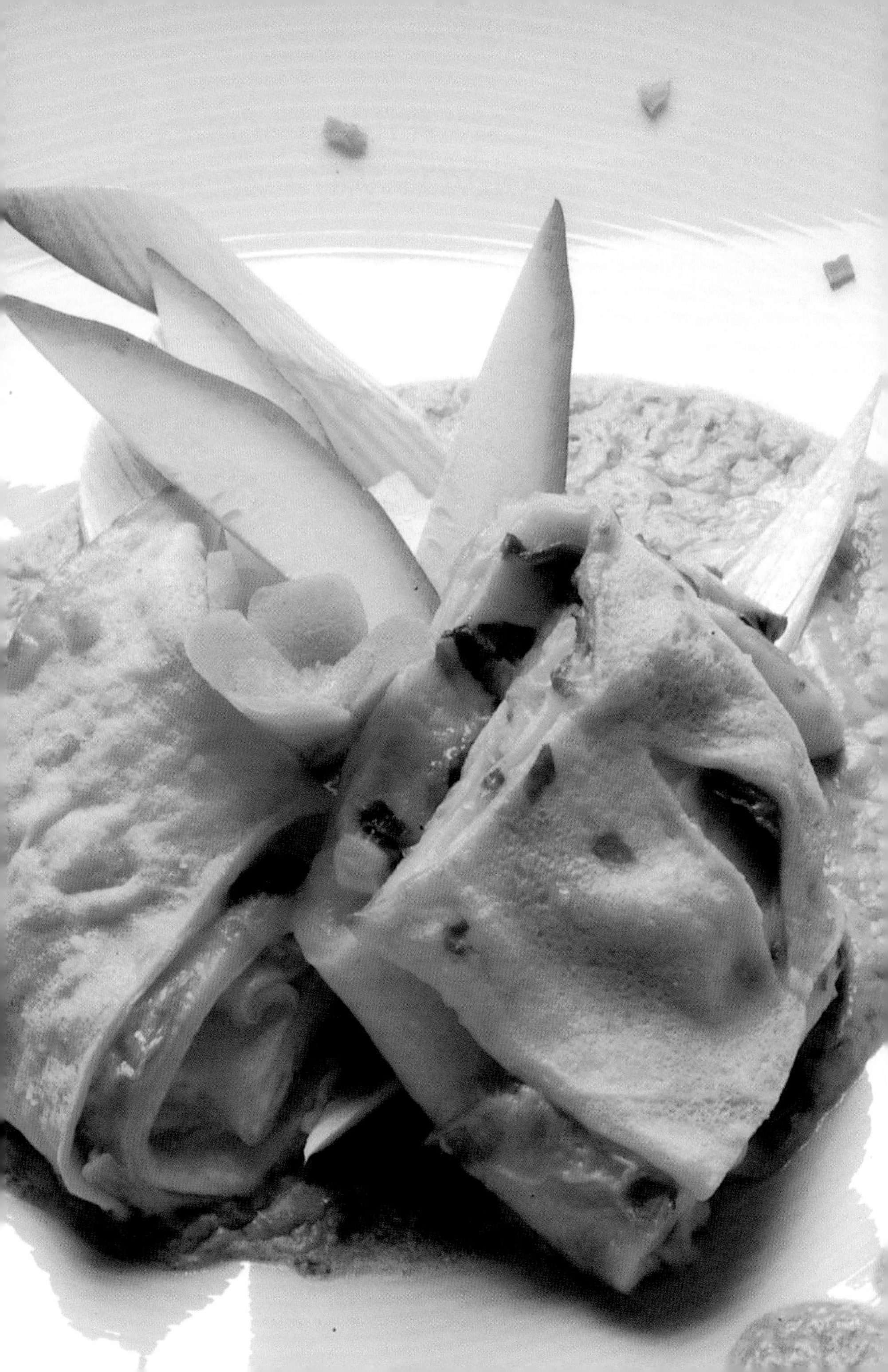

Espirales frías con olivas y mozzarella

PREPARACIÓN: 5 minutos
COCCIÓN: 10 minutos
DIFICULTAD: baja

Por cada porción
- 1.111 Kcal
- Prótidos: 14,6 g
- Lípidos: 81,5 g
- Carbohidratos: 80,12 g

Ingredientes para 4 personas
- 400 g de espirales sin gluten
- 40 g de olivas negras
- 40 g de olivas verdes
- 100 g de mozzarella
- 100 ml de aceite de oliva virgen extra
- perejil
- pimienta y sal

Se recoge en un bol la mozzarella cortada en daditos, las olivas deshuesadas, las hojas de perejil troceadas y la mitad del aceite, y se salpimienta. Se deja reposar.

Mientras tanto, se pone a hervir la pasta. Cuando las espirales ya están hechas, se escurren y se pasan por agua fría.

A continuación, se añade la pasta fría al condimento y se remueve mientras se añade el resto del aceite. Para un plato todavía más sabroso, pueden añadirse 4 anchoas troceadas.

Ñoquis con setas

PREPARACIÓN: 10 minutos
COCCIÓN: 5 minutos
DIFICULTAD: baja

Por cada porción
- 563 Kcal
- Prótidos: 17,1 g
- Lípidos: 16,4 g
- Carbohidratos: 89 g

Ingredientes para 4 personas
- 1 kg de ñoquis (receta pág. 31)
- 400 g de setas frescas
- 100 g de queso fontina
- 250 ml de leche
- ajo
- perejil
- aceite de oliva virgen extra
- pimienta y sal

Para empezar se preparan y se hierven los ñoquis según la receta base.

Se limpian las setas y se cortan en láminas, y luego se trituran con aceite, ajo, pimienta y sal.

En una sartén grande, se lleva a ebullición la leche y se añade el queso en daditos; se deja entonces que este se funda a fuego lento y se salpimienta.

Para terminar, se aliñan los ñoquis con las setas y la salsa de queso. Se completa con el perejil picado.

Ñoquis al pesto

PREPARACIÓN: 10 minutos
COCCIÓN: 5 minutos
DIFICULTAD: baja

Por cada porción
- 744 Kcal
- Prótidos: 17 g
- Lípidos: 38,2 g
- Carbohidratos: 84,6 g

Ingredientes
para 4 personas
- Ñoquis de patata (receta pág. 31)
- 100 g de albahaca
- 50 g de piñones
- 40 g de queso grana
- 40 g de queso de oveja
- 1 diente de ajo
- 100 ml de aceite de oliva virgen extra
- sal

Se limpia la albahaca, se lava y se seca con cuidado con un paño.

Se trituran con la batidora los piñones y el ajo, y luego se añade la albahaca con un poco de aceite y sal y se tritura de nuevo. Seguidamente, se mezclan los ingredientes picados con el queso grana y el queso de oveja rallados.

Se coloca en un recipiente y se cubre con el resto del aceite.

A continuación, se preparan y se cuecen los ñoquis según la receta base y se condimentan con el pesto.

Lasaña a la boloñesa

PREPARACIÓN: 20 minutos
COCCIÓN: 30 minutos
DIFICULTAD: baja

Por cada porción
- 926 Kcal
- Prótidos: 36,6 g
- Lípidos: 61,1 g
- Carbohidratos: 56,1 g

Ingredientes
para 6 personas
- 500 g de pasta al huevo (receta pág. 32)
- 1,2 kg de bechamel (receta pág. 30)
- 800 g de ragú a la boloñesa (receta de tallarines a la boloñesa, pág. 84)
- 200 g de queso grana rallado
- mantequilla, aceite y sal

Se extiende la lámina de modo que no sea muy fina y se obtienen de ella cuadrados o rectángulos: se pueden recortar, por ejemplo, cuadrados de 15 cm de diámetro o rectángulos 10 × 15.

Se hierven al dente los trozos de pasta en agua hirviendo con sal y 2 cucharadas de aceite; se escurren, se dejan enfriar y se secan sobre un paño.

Se unta ligeramente con mantequilla una bandeja para horno y se forma una capa de pasta; seguidamente, se vierte una capa de bechamel, se cubre con ragú y se espolvorea queso grana rallado.

A continuación se cubre con la pasta y se sigue así hasta que se agotan los ingredientes.

Para la última capa, se mezcla un poco de ragú con bechamel y se vierte sobre la pasta; luego se espolvorea queso grana rallado y se introduce en el horno precalentado a 160-180 °C durante unos 30 minutos.

Debe dejarse reposar unos 5 minutos antes de servir.

Macarrones de arroz con azafrán

PREPARACIÓN: 5 minutos
COCCIÓN: 10 minutos
DIFICULTAD: baja

Por cada porción
- 470 Kcal
- Prótidos: 22,8 g
- Lípidos: 15,8 g
- Carbohidratos: 59 g

Ingredientes
para 4 personas
- 300 g de macarrones de arroz
- 200 g de speck
- 200 g de nata fresca
- 2 sobrecitos de azafrán
- 60 g de queso grana
- sal

Se sofríe el speck cortado en daditos en una sartén antiadherente sin añadirle ningún tipo de grasa. Se agregan luego la nata y el azafrán y se prosigue la cocción a fuego lento durante 2-3 minutos.

A continuación, se cuecen los macarrones en abundante agua con sal, se escurren y se condimentan con la salsa.

El plato se completa con el queso grana rallado.

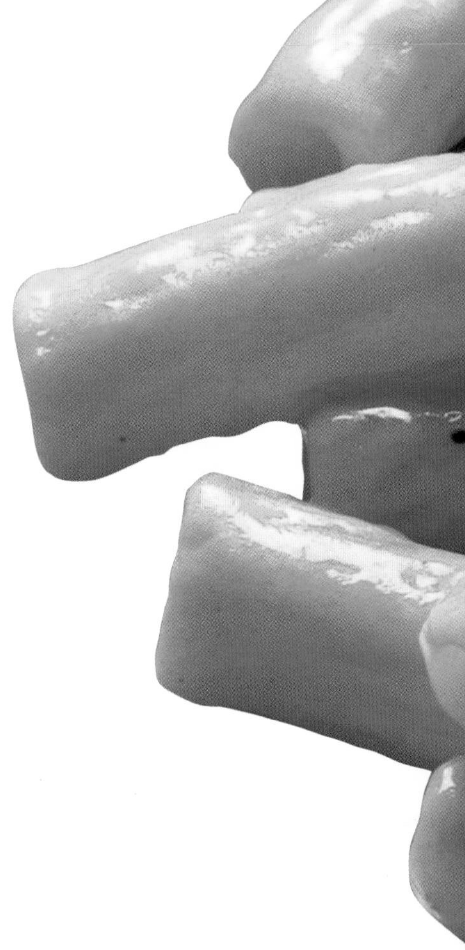

Mijo con ragú de verduras

PREPARACIÓN: 30 minutos con la cocción de las verduras
COCCIÓN: 20 minutos
DIFICULTAD: media

Por cada porción
- 689 Kcal
- Prótidos: 11,2 g
- Lípidos: 46,6 g
- Carbohidratos: 58,2 g

Ingredientes
para 4 personas
- 300 g de mijo
- 100 ml de aceite de oliva
- 2 calabacines
- 1 zanahoria
- 1 berenjena pequeña
- 1 chalote
- 1 tomate en rama
- olivas negras deshuesadas
- hojas de albahaca
- mejorana

Se pica el chalote; se escalda el tomate, se pela y se corta en daditos; se lavan y se cortan todas las verduras, reduciéndolas a daditos muy pequeños; y se trocean las hojas de albahaca.

A continuación, se sofríe el chalote en el aceite, se añade una pizca de albahaca junto con las verduras, que tendrán que guisarse con un poco de caldo.

Al finalizar la cocción, se incorpora el tomate, otra pizca de albahaca, las olivas y las hojitas de mejorana lavadas y secas.

Se hierve el mijo en abundante agua salada, se escurre y se saltea con el ragú de verduras.

Plumas con salmón ahumado

PREPARACIÓN: 15 minutos
COCCIÓN: 10 minutos
DIFICULTAD: baja

Por cada porción
- 525 Kcal
- Prótidos: 16,8 g
- Lípidos: 21,6 g
- Carbohidratos: 65,6 g

Ingredientes
para 6 personas
- 500 g de plumas sin gluten
- 150 g de salmón ahumado
- 70 g de mantequilla
- 1 zanahoria
- 1 puerro
- 1 calabacín
- 3 yemas de huevo
- 100 ml de nata fresca
- pimienta y sal

Se cortan las verduras en bastoncitos y se doran en una sartén con la mantequilla.

Dos minutos antes de que finalice la cocción, se añade el salmón cortado en juliana.

En un cuenco, se mezclan las yemas con la nata.

Seguidamente, se hierven las plumas, se escurren y se saltean en la sartén con la llama alta, junto con las verduras, y se salpimientan.

Se retiran del fuego y se les incorpora la mezcla de nata y huevos.

Tiene que servirse muy caliente.

Tiburones con verduras

PREPARACIÓN: 10 minutos con la cocción de las verduras
COCCIÓN: 10 minutos
DIFICULTAD: baja

Por cada porción
- 250 Kcal
- Prótidos: 5 g
- Lípidos: 4 g
- Carbohidratos: 29 g

Ingredientes para 4 personas
- 200 g de tiburones sin gluten
- 200 g de berenjena
- 200 g de calabacín
- 150 g de pimiento
- 1 tomate
- aceite de oliva virgen extra
- albahaca picada
- pimienta y sal

Para empezar, se lavan y se secan todas las verduras y se cortan en daditos.

Se cuece la pasta en abundante agua con sal; mientras tanto, en una sartén antiadherente se saltean las verduras durante unos minutos en el aceite caliente; se añade una picada de albahaca y se salpimienta.

A continuación, se escurre la pasta, se vierte en la sartén y se deja que tome sabor en la salsa de verduras, removiendo bien.

Se puede espolvorear por encima queso de oveja rallado, al gusto.

Para esta receta son ideales los tiburones de maíz.

Tallarines de trigo sarraceno

PREPARACIÓN: 40 minutos con la cocción de las verduras
COCCIÓN: 12 minutos
DIFICULTAD: alta

Por cada porción
- 737 Kcal
- Prótidos: 21,5 g
- Lípidos: 32,5 g
- Carbohidratos: 92,7 g

Ingredientes
para 4 personas
- 200 g de queso bitto (dulce y aromático)
- 150 g de harina sin gluten
- 130 g de harina de trigo sarraceno molida fina
- 80 g de mantequilla
- 4 patatas
- 6 hojas de berza
- salvia
- pimienta y sal

Se mezclan las dos harinas en la artesa y se añade sal; seguidamente, se amasan con un poco de agua formando una masa bastante consistente. Se extiende con el rodillo la masa en una lámina de 2 mm de grosor, de la que se extraen tiras de 5 o 6 cm de longitud y 1 cm de anchura.

A continuación se pelan las patatas y se cortan en daditos, se lavan y cortan en tiras las berzas, eliminando el tallo central más duro, y se ponen a cocer en agua con sal. Mientras se hacen las verduras, hay que cortar el queso en lonchas finas y dorar la salvia en mantequilla.

Cuando las patatas estén cocidas, deben verterse en la olla los tallarines. Se cuecen junto con las verduras.

En una sopera se alternarán capas de tallarines y verdura, regados con mantequilla y salvia, con las rodajas de queso. En la última capa hay que verter únicamente el resto de la mantequilla.

Raviolis a la achicoria

PREPARACIÓN: 30 minutos con la cocción de las verduras
COCCIÓN: 6 minutos
DIFICULTAD: alta

Por cada porción
- 484 Kcal
- Prótidos: 23,3 g
- Lípidos: 30,6 g
- Carbohidratos: 24,6 g

Ingredientes para 6 personas
- Pasta al huevo

PARA EL RELLENO
- 300 g de queso fresco
- 400 g de achicoria
- 100 g de jamón serrano
- 1 vaso de vino tinto
- aceite de oliva virgen extra
- queso grana rallado
- 1 cebolla, pimienta

PARA LA SALSA
- 250 g de tomatitos
- 200 g de uva
- 2 cucharadas de piñones

En primer lugar se pone a sofreír la cebolla con un chorrito de aceite; se añade el jamón cortado en daditos y se riega con el vino tinto. Cuando se haya evaporado por completo el vino, se agrega la achicoria cortada muy fina y se deja espesar unos 5 minutos a fuego fuerte. Luego se pone en una olla y se incorpora el queso cuando la mezcla esté todavía caliente. Se añade sal y se le da sabor con un poco de grana.

A continuación, hay que elaborar los raviolis y cocerlos en abundante agua con sal. Entonces se prepara la salsa: hay que calentar dos cucharadas de aceite en una sartén, añadir los piñones y, cuando estos se hayan tostado, agregar los tomatitos cortados por la mitad y la uva cortada en láminas, apagar el fuego y dejar que tome sabor.

Por último, se escurren los raviolis y se colocan en una bandeja; se condimentan con la salsa y se espolvorea un poco de grana rallado por encima.

Raviolis con trufa

PREPARACIÓN: 2 horas
COCCIÓN: 6 minutos
DIFICULTAD: alta

Por cada porción
- 810 Kcal
- Prótidos: 37,2 g
- Lípidos: 55 g
- Carbohidratos: 35,5 g

Ingredientes para 4 personas
- pasta al huevo
- 150 g de lomo de cerdo
- 150 g de carne de ternera
- 150 g de mantequilla
- 150 g de jamón serrano
- 60 g de queso grana
- 1 trufa
- 1 huevo
- 1 vaso de vino blanco
- 1 ramita de romero
- pimienta y sal

Se ponen en el fuego, en una cacerola, el lomo y la ternera con una nuez de mantequilla; se salpimienta y se deja al fuego remojándola con vino blanco. Seguidamente, se pica la carne junto con el jamón y se recoge todo en un cuenco; se agrega a la carne la mitad de la trufa limpia y cortada en láminas muy finas, el huevo y dos cucharadas de grana rallado. A continuación, se mezcla bien. Hay que elaborar los raviolis con este relleno y cocerlos en abundante agua con sal durante unos 6 minutos. Para terminar, se condimentan con mantequilla fundida, queso grana, láminas de trufa y una ramita de romero.

Risotto con pimiento y lechuga

PREPARACIÓN: 15 minutos con la cocción del pimiento
COCCIÓN: 20 minutos
DIFICULTAD: media

Por cada porción
- 561 Kcal
- Prótidos: 9,9 g
- Lípidos: 28,2 g
- Carbohidratos: 68,6 g

Ingredientes para 4 personas
- 300 g de arroz carnaroli extrafino
- 100 g de lechuga romana
- 80 g de mantequilla
- 40 g de queso grana rallado
- 20 g de cebolla
- 50 ml de vino blanco seco
- 1 l de caldo
- 1 pimiento rojo pequeño
- hierbas aromáticas
- sal

Se asa el pimiento en el horno a 250 °C durante unos 10 minutos. Se pela, se limpia y se corta la pulpa en daditos. Por otra parte, se pica la cebolla; se limpian y se pican las hierbas aromáticas, y se lava, se escurre y se corta en juliana la lechuga.

A continuación, se sofríe la cebolla con la mantequilla a fuego lento. Se añade el arroz, que debe tostarse durante 1 minuto aproximadamente. Entonces se riega con el vino y se deja que este se evapore. Seguidamente se riega con el caldo hirviendo y se lleva a ebullición como de costumbre.

Pasados 12-13 minutos del inicio de la cocción, hay que añadir el pimiento. Se completa con la lechuga y las hierbas aromáticas.

Se le debe dar consistencia mantecosa con la mantequilla y el queso grana.

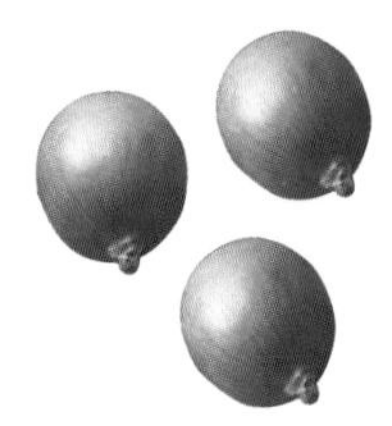

EL RISOTTO

Para preparar un buen risotto, la elección del arroz, carnaroli o vialone nano, resulta esencial. Se prepara para ello una picada de cebolla y se sofríe en la mantequilla espumeante; luego se añade el arroz y se deja tostar casi un minuto. A continuación se vierte poco a poco el caldo caliente, añadiéndolo a medida que el arroz lo absorbe, y se cuece así el risotto (unos 15 minutos). Por último, se retira del fuego, se le confiere una consistencia mantecosa con la mantequilla y el grana rallado y se deja reposar un minuto con la cacerola cubierta antes de servir.

PREPARACIÓN: 10 minutos
COCCIÓN: 15 minutos
DIFICULTAD: media

Risotto con salchicha

Por cada porción
- 692 Kcal
- Prótidos: 15,3 g
- Lípidos: 33,4 g
- Carbohidratos: 87,8 g

Ingredientes para 4 personas
- 400 g de arroz carnaroli
- 200 g de salchicha
- 80 g de mantequilla
- 700 ml de caldo
- 1 cebolla
- 1 sobrecito de azafrán
- queso grana

Se retira la tripa de la salchicha y se corta en rodajitas.

En una cacerola, se funde la mitad de la mantequilla, se agrega la cebolla en rodajas finas y se incorporan los trocitos de salchicha.

Cuando la cebolla esté bien dorada, se añade el arroz. Debe dejarse tostar un par de minutos.

A continuación, se riega con el caldo hirviendo y se cuece como de costumbre. Hay que agregarle azafrán.

Para terminar, se le da consistencia mantecosa con el resto de la mantequilla y tres cucharadas de queso rallado y se sirve.

Rollo de requesón y espinacas

PREPARACIÓN: 35 minutos con la cocción de las espinacas
COCCIÓN: 20 minutos
DIFICULTAD: media

Por cada porción
- 457 Kcal
- Prótidos: 21,2 g
- Lípidos: 26 g
- Carbohidratos: 34,9 g

Ingredientes
para 8 personas
- 500 g de pasta al huevo (receta pág. 32)
- 1 kg de espinacas
- 800 g de requesón cremoso
- 100 g de queso grana rallado
- 50 g de mantequilla
- nuez moscada
- sal

Se lavan y se hierven en poca agua las espinacas; se cortan en tiras y se pican finamente; seguidamente se pasan por la sartén con un poco de mantequilla. En un cuenco, se tamiza el requesón y se le añade el grana, la sal y la nuez moscada.

Entonces se extiende una lámina no demasiado fina de pasta; se coloca sobre un paño, se cubre con una capa de requesón y otra de espinacas y se enrolla sobre sí misma.

Seguidamente se envuelve el rollo con una gasa y se atan los extremos. Hay que poner a hervir abundante agua con sal y sumergir en ella el rollo unos 20 minutos.

Finalmente, se escurre, se deja reposar y se corta en rodajas.

Se condimenta con mantequilla fundida y grana rallado.

EL REQUESÓN

El requesón se elabora con el suero de la leche, que se cuece dos veces. Puede ser de leche de vaca o de oveja, fresco o curado, ahumado, asado al horno o incluso enriquecido con hierbas o con leche entera o nata.
El requesón fresco es apropiado para preparar tanto platos dulces como salados. Es óptimo con verduras como los espárragos o las espinacas, con jamón y huevos, y también con fruta, chocolate y café.

PREPARACIÓN: 30 minutos
COCCIÓN: 10 minutos
DIFICULTAD: baja

Espaguetis con marisco

Por cada porción
- 771 Kcal
- Prótidos: 29 g
- Lípidos: 17,8 g
- Carbohidratos: 124 g

Ingredientes para 4 personas
- 600 g de espaguetis sin gluten
- 400 g de tomates cherry
- 300 g de almejas
- 200 g de mejillones
- 8 cigalas pequeñas
- 4 dientes de ajo
- albahaca
- perejil
- vino blanco
- pimentón
- aceite de oliva virgen extra
- sal

Se limpia el marisco y se retira la tripa de las cigalas pero dejándoles el caparazón.

Se lavan y se cortan en cuatro láminas los tomates; se lava y se trocea la albahaca, y se lava y se pica el perejil.

En una cacerola tapada, se cuece a fuego fuerte con aceite, ajo y vino blanco el marisco, hasta que las almejas y los mejillones se abran.

Entonces se les quita una de las dos valvas, se cuela el agua que se haya formado y se reserva.

En una sartén, se calienta el aceite con el ajo, se incorporan los tomates y se sofríen unos segundos. Se añade el agua del hervor del marisco y se deja cocer unos 3 minutos más antes de apagar el fuego.

En una olla con abundante agua con sal se hierven entonces los espaguetis hasta que estén al dente, se escurren y se condimentan con el jugo.

A continuación se agregan el marisco, el perejil, la albahaca y el pimentón, y se saltea al fuego durante unos instantes.

Para terminar, se retira la sartén del fuego, se añade aceite, se rectifica la sal y se sirve.

TOMATES CHERRY

Extremadamente versátiles, pequeñísimos, dulces como las cerezas a las que deben su nombre inglés, estos tomatitos son gustosos y apetitosos: adecuados para acompañar la pasta, combinan a la perfección también con el pescado, y son ideales como tentempié (por ejemplo, con daditos de mozzarella y olivas). Resultan exquisitos con el arroz, en ensaladas o asados a la papillote. Además, son muy fáciles de cultivar, hasta el punto de que pueden crecer en una maceta incluso en el balcón.

PREPARACIÓN: 15 minutos con la cocción de las berenjenas y 1 hora más para la purga
COCCIÓN: 10 minutos
DIFICULTAD: baja

Espaguetis al estilo Norma

Por cada porción

- 534 Kcal
- Prótidos: 13,6 g
- Lípidos: 20,2 g
- Carbohidratos: 74,8 g

Ingredientes
para 4 personas

- 350 g de espaguetis sin gluten
- 500 g de tomates maduros
- 50 g de requesón curado y rallado
- 50 ml de aceite de oliva virgen extra
- 2 berenjenas largas
- 1 pizca de albahaca picada
- 1 diente de ajo
- aceite de oliva virgen extra
- pimienta y sal

Se lavan las berenjenas y se cortan en rodajas finas; se colocan sobre una superficie, se les echa sal y se dejan purgar aproximadamente 1 hora.

Mientras tanto, se lavan y se secan los tomates, se quitan las semillas y se cortan en daditos. Luego se pone una olla al fuego con el aceite y el diente de ajo machacado; en cuanto el ajo empiece a coger color, se agregan los tomates junto con la albahaca y se salpimienta. Debe dejarse a fuego lento unos 15 minutos.

A continuación, se enjuagan las rodajas de berenjena bajo agua corriente, se secan y se fríen en una sartén con abundante aceite muy caliente.

En una olla grande, se lleva a ebullición una gran cantidad de agua con sal y se incorporan los espaguetis.

Cuando las berenjenas estén fritas y crujientes, tendrán que sacarse del aceite, pasarse por papel absorbente y salarse ligeramente.

Cuando los espaguetis estén al dente, deben colarse y ser colocados en el plato para servir. Hay que condimentarlos con el jugo de tomate y con las berenjenas fritas. Para terminar, se espolvorea por encima requesón rallado, se remueve y se sirve de inmediato.

Espaguetis de arroz con salmón

PREPARACIÓN: 10 minutos
COCCIÓN: 10 minutos
DIFICULTAD: baja

Por cada porción
- 484 Kcal
- Prótidos: 16 g
- Lípidos: 34 g
- Carbohidratos: 27,7 g

Ingredientes
para 4 personas
- 120 g de espaguetis de arroz
- 3 calabacines
- 2 lonchas de salmón
- 100 ml de aceite de oliva virgen extra
- salsa de soja
- sal

Para empezar, se hierven los espaguetis en una olla de gran capacidad con abundante agua hirviendo con sal.

Se lavan muy bien los calabacines y se cortan en tiras. Asimismo, se corta el salmón en daditos y se reserva.

A continuación, se calienta una sartén antiadherente con un chorrito de aceite, se agrega el salmón y se saltea durante 1 minuto.

Entonces hay que añadir los calabacines y sofreírlo todo durante 5 minutos. Finalmente, se incorporan también los espaguetis escurridos y 6 cucharadas de salsa de soja y se saltea un minuto más.

Se retira del fuego y, antes de servir, se agregan dos cucharadas de aceite y se remueve bien.

Espaguetis de soja con pimiento

PREPARACIÓN: 10 minutos con la cocción de las verduras
COCCIÓN: 2 minutos
DIFICULTAD: baja

Por cada porción
- 448 Kcal
- Prótidos: 19 g
- Lípidos: 30 g
- Carbohidratos: 29,7 g

Ingredientes
para 4 personas
- 250 g de espaguetis de soja
- 80 g de brotes de soja
- 80 g de lechuga
- 1 pimiento rojo
- 1 calabacín
- aceite de oliva virgen extra
- salsa de soja
- sal
- curry

En primer lugar, se blanquean los espaguetis en abundante agua hirviendo con sal. Entonces se apaga de inmediato el fuego y se dejan los espaguetis en remojo durante 2 minutos. Pasado ese tiempo, se escurren y se pasan bajo agua fría.

Mientras tanto, se corta el pimiento en trocitos y el calabacín en rodajas pequeñas y se saltean en una sartén antiadherente con dos cucharadas de aceite.

Luego, se añaden los brotes de soja y las hojas de lechuga lavadas y troceadas, se agregan los espaguetis, cortándolos con unas tijeras, se riegan con una cucharada de salsa de soja y se dejan cocer unos minutos más.

Si se desea, se puede aromatizar con una cucharadita de curry. Este plato debe servirse muy caliente.

Tallarines a la boloñesa

PREPARACIÓN: 2 horas y 15 minutos con la cocción de la carne
COCCIÓN: 5 minutos
DIFICULTAD: media

Por cada porción
- 422 Kcal
- Prótidos: 15,3 g
- Lípidos: 28,1 g
- Carbohidratos: 24,6 g

Ingredientes para 6 personas
- 300 g de tallarines al huevo (receta pág. 32)
- 250 g de carne magra picada de buey
- 100 g de carne picada de cerdo
- 50 g de panceta
- aceite de oliva virgen extra
- 25 g de tomate triturado
- 5 g de setas secas
- medio vaso de vino tinto
- media zanahoria
- 1 rama de apio
- media cebolla
- perejil, tomillo, laurel
- caldo
- pimienta y sal

Se rehidratan y se pican las setas. Se cortan en daditos la zanahoria, el apio, la cebolla y la panceta.

A continuación, se pone la panceta en una olla de gran capacidad con un poco de aceite y se dora; seguidamente, se añaden las verduras y se sofríe todo unos minutos.

Se coloca otra sartén en el fuego y se sofríen las carnes en un chorrito de aceite caliente. Cuando estén doradas, se retira la grasa y se añaden las carnes a las verduras. Se remueve bien.

Cuando los ingredientes parezcan estar secos, se riegan con vino tinto, que debe dejarse evaporar, y se añaden luego el tomate triturado, las hierbas y las setas.

Debe remojarse entonces con un poco de caldo y dejarse cocer a fuego lento unas dos horas, añadiendo caldo de vez en cuando.

Puede utilizarse para condimentar tallarines o cualquier otro formato de pasta.

EL RAGÚ

En 1982, un acta notarial, solicitada por la delegación de Bolonia de la Academia Italiana de Cocina, determinó de forma oficial cuáles son los ingredientes que deben componer el auténtico ragú a la boloñesa.
Más allá de la oficialidad, cada país, cada ciudad, cada barrio y cada cocinero siguen proponiendo su propia receta, vinculada a la propia tradición personal: lo esencial es que los ingredientes estén bien seleccionados y que el ragú se prepare y se haga con paciencia y amor.

Tallarines con ostrones

PREPARACIÓN: 15 minutos con la cocción de los ostrones
COCCIÓN: 5 minutos
DIFICULTAD: baja

Por cada porción
- 270 Kcal
- Prótidos: 9,4 g
- Lípidos: 6,6 g
- Carbohidratos: 40 g

Ingredientes
para 4 personas
- 300 g de tallarines al huevo (receta pág. 32)
- 12 ostrones
- 1 chalote pequeño
- 1 manojo de perejil picado
- medio vaso de vino blanco seco
- 2 cucharadas de harina sin gluten
- aceite de oliva virgen extra
- pimienta y sal

Se retiran las valvas a los ostrones, se lavan y se cortan en trocitos.

Se pica el chalote y se dora en una cacerola con una cucharada de aceite; se añaden los ostrones enharinados, se deja que tomen sabor y se remojan con vino blanco. Luego se aromatizan con el perejil picado y se salpimientan.

Se cuecen a fuego medio unos 5 minutos.

Mientras tanto, se hierven los tallarines; cuando estén al dente, se escurren y se agregan a los ostrones: se deja que tomen sabor en la sartén y luego se sirven bien calientes.

Tortellini

PREPARACIÓN: 30 minutos con la cocción de la carne
COCCIÓN: 6 minutos
DIFICULTAD: baja

Por cada porción
- 339 Kcal
- Prótidos: 20,8 g
- Lípidos: 18,1 g
- Carbohidratos: 23,3 g

Ingredientes
para 6 personas
- pasta fresca al huevo (receta pág. 32)
- 100 g de mortadela permitida
- 100 g de jamón serrano
- 100 g de queso grana rallado
- 50 g de carne de ternera
- 50 g de solomillo de cerdo
- 1 huevo
- aceite de oliva virgen extra
- nuez moscada y sal

Se sancochan en mantequilla y aceite la carne de ternera y el solomillo de cerdo cortados en trozos; seguidamente, se pasa esta carne por la picadora junto con la mortadela y el jamón. Se condimenta esta mezcla de carnes con el queso, el huevo y la nuez moscada.

A continuación, se recorta la lámina de pasta en cuadrados de 3,5 cm de lado. En cada cuadrado se coloca un poco del relleno, se pliega la pasta en triángulo y se presiona el contorno con los dedos. Entonces se pliega ligeramente el ángulo exterior del triángulo y se cierra el anillo girando alrededor del dedo.

Hay que cocerlos en abundante agua salada durante unos 6 minutos. Se pueden condimentar al gusto con mantequilla y salvia, salsa de tomate o un pisto de verduras.

Espaguetis al pesto

PREPARACIÓN: 20 minutos con la cocción de las verduras
COCCIÓN: 5 minutos
DIFICULTAD: baja

Por cada porción
- 615 Kcal
- Prótidos: 18,5 g
- Lípidos: 40,2 g
- Carbohidratos: 45,5 g

Ingredientes para 4 personas
- 300 g de pasta al huevo (receta pág. 32)
- 200 g de patatas
- 100 g de judías verdes
- 100 g de albahaca
- 80 g de queso grana
- 50 g de piñones
- 1 diente de ajo
- 100 ml de aceite de oliva virgen extra
- sal

Se limpia la albahaca, se lava y se seca con cuidado con un paño.

Con la picadora, se pican primero los piñones con el ajo, y luego la albahaca con un poco de aceite y sal. A continuación se mezclan los ingredientes picados con el queso rallado. Se colocan en un recipiente y se cubren con el resto del aceite.

Se corta la lámina de pasta con la forma de espaguetis (o, si se desea, de tallarines o de otro tipo).

Se pelan las patatas y se cortan en daditos. Luego se lavan las judías y se trocean.

Las verduras deben cocerse en abundante agua con sal. Seguidamente, se añaden los espaguetis, se cuecen, se escurren y se condimentan con el pesto.

EL PESTO

Hay quien piensa que los piñones son un ingrediente esencial para la preparación de esta salsa, y quien opina, en cambio, que son un añadido que la aleja de la receta original.
Algunas personas consideran como indispensable el uso del mortero para machacar las hojas de albahaca, mientras que otras utilizan la picadora como digno sustituto de los instrumentos tradicionales.
Algunos evitan lavar las hojas de albahaca, porque, según aseguran, de ese modo pierden aroma; otros no añaden ajo, porque con su penetrante aroma anula el sabor de la albahaca: las variantes son infinitas, pero el denominador común es la frescura de la albahaca unida a la delicada fragancia del aceite de oliva virgen extra.

Chuletas a la milanesa

PREPARACIÓN: 5 minutos
COCCIÓN: 10 minutos
DIFICULTAD: baja

Por cada porción
- 311 Kcal
- Prótidos: 23,5 g
- Lípidos: 19,4 g
- Carbohidratos: 10,8 g

Ingredientes
para 4 personas
- 4 chuletas de ternera con hueso
- 100 g de pan duro sin gluten
- 50 g de mantequilla
- 1 huevo
- 2 cucharadas de aceite de oliva virgen extra
- sal

Se ralla muy fino el pan (también se puede comprar directamente pan rallado).

Se bate el huevo; se pasan las chuletas por el huevo batido y luego por el pan rallado haciendo presión con las manos para que el pan se adhiera bien.

Por último, se fríen las chuletas en aceite y mantequilla bien calientes, se salan y se sirven.

Filetes de pollo

PREPARACIÓN: 5 minutos
COCCIÓN: 5 minutos
DIFICULTAD: baja

Por cada porción
- 346 Kcal
- Prótidos: 25 g
- Lípidos: 18,7 g
- Carbohidratos: 20,7 g

Ingredientes
para 4 personas
- 4 filetes de pollo
- 100 g de harina de maíz
- 50 g de mantequilla
- 1 huevo
- 2 cucharadas de aceite de oliva virgen extra
- hierbas aromáticas
- sal

Se bate el huevo; se mezcla la harina de maíz con un puñado de hierbas aromáticas picadas al gusto.

Se pasa la carne de pollo por el huevo batido y luego por la harina de maíz haciendo presión con las manos para que se adhiera bien la harina.

Para terminar, se fríe el pollo en aceite y mantequilla muy caliente, se sala y se sirve.

Entrecot a la pimienta verde

PREPARACIÓN: 5 minutos
COCCIÓN: 5 minutos
DIFICULTAD: media

Por cada porción
- 335 Kcal
- Prótidos: 22,1 g
- Lípidos: 23,4 g
- Carbohidratos: 2 g

Ingredientes para 4 personas
- 4 entrecots
- 40 g de mantequilla
- 10 g de pimienta verde
- 200 ml de nata
- 50 ml de coñac
- pimienta y sal

Se salpimienta la carne. Se sofríe en una sartén con la mantequilla, de modo que se dore por ambos lados. Luego se retira de la sartén y se mantiene caliente.

Se elimina la grasa de la cocción y se desglasa el fondo con coñac.

A continuación se añaden la nata y la pimienta verde y se deja reducir la salsa.

Se coloca de nuevo el entrecot en la sartén, se baja el fuego y se deja un minuto más antes de apagarlo.

Se sirve caliente.

Hatillos de cerdo

PREPARACIÓN: 10 minutos
COCCIÓN: 25 minutos
DIFICULTAD: baja

Por cada porción
- 320 Kcal
- Prótidos: 31,7 g
- Lípidos: 21,2 g
- Carbohidratos: -

Ingredientes para 4 personas
- 8 lonchas finas de lomo de cerdo
- 8 lonchas de panceta
- 8 láminas de queso grana
- 1 nuez de mantequilla
- sal

Se extienden las lonchas de carne y se coloca sobre cada una de ellas una loncha de panceta y una lámina de queso; luego se enrollan y se fijan.

Seguidamente se doran los hatillos en la sartén con una nuez de mantequilla y una pizca de sal. Se sirven calientes.

PREPARACIÓN: 10 minutos
COCCIÓN: 5 minutos
DIFICULTAD: baja

Fritada de bacalao

Por cada porción
- 671 Kcal
- Prótidos: 46,5 g
- Lípidos: 49,7 g
- Carbohidratos: 9,5 g

Ingredientes
para 4 personas
- masa para freír (receta pág. 38)
- 800 g de bacalao ya remojado
- 1 limón
- aceite de oliva virgen extra
- sal

Se retiran la piel y las espinas del bacalao, se corta en pedacitos y se pasan los trocitos uno a uno por la masa.

Se fríen en aceite hirviendo hasta que estén bien dorados.

Por último, se salan si es necesario y se sirven decorados con rodajas de limón.

EL BACALAO

El bacalao es, probablemente, el pescado blanco de mayor consumo en Europa. Se puede comprar fresco, desecado o salado. Los métodos más conocidos de conservación son la salazón y el secado. Algunos pescaderos venden el bacalao ya en remojo; en el caso de que se compre todavía con la sal incrustada, antes de utilizarlo hay que sumergirlo en un recipiente con agua fría, cepillarlo para retirar la sal incrustada y cambiar el agua. Después hay que dejarlo en remojo unas 48 horas, cambiando el agua con frecuencia (cada 2 horas al principio, y luego cada 4). Trascurrido ese tiempo se puede proceder a la limpieza, eliminando el espinazo, las aletas y las espinas y, si se desea, la piel. Ahora el bacalao ya está listo para ser hervido, frito, asado o guisado.

Ensalada de atún y judías

PREPARACIÓN: 20 minutos, y 12 horas más para el remojo
COCCIÓN: 40 minutos
DIFICULTAD: baja

Por cada porción
- 450 Kcal
- Prótidos: 30,5 g
- Lípidos: 19,4 g
- Carbohidratos: 40 g

Ingredientes para 4 personas
- 250 g de judías secas
- 250 g de tomates de zumo
- 200 g de atún al natural
- 200 g de olivas verdes
- 1 calabacín
- 1 zanahoria
- 1 rama de apio
- perejil
- orégano
- aceite de oliva virgen extra
- vinagre blanco
- pimienta y sal

Se ponen en remojo las judías durante 12 horas; se escurren, se ponen en una olla y se hierven durante unos 40 minutos.

Se cuecen al vapor el calabacín, la zanahoria y el apio lavados y cortados en daditos.

Luego se escurren las judías y se colocan en una sopera con las verduras cocidas, el tomate crudo picado, las olivas y el atún. Para aliñar, se utiliza el orégano, el perejil, el aceite, el vinagre, la pimienta y la sal.

LAS JUDÍAS

Son muchas las variedades de esta planta, perteneciente a la familia de las Leguminosas: las más extendidas, tanto en el ámbito comercial como de cultivo, son las judías pintas y las judías finas, a las que se añade también la habichuela. Estas variedades son de origen americano.
En la actualidad, las judías pueden encontrarse en los comercios frescas, secas o enlatadas. Estas últimas son óptimas para preparar ensaladas, pero no son aconsejables para platos que requieran cocciones largas. Las judías frescas y las judías secas, en cambio, son las protagonistas de sopas y guisos característicos de la cocina regional no sólo española, sino también francesa e italiana.

Osobuco a la milanesa

PREPARACIÓN: 15 minutos
COCCIÓN: 1 hora
DIFICULTAD: media

Por cada porción
- 584 Kcal
- Prótidos: 22,3 g
- Lípidos: 51,5 g
- Carbohidratos: 5 g

Ingredientes para 4 personas
- 4 jarretes de ternera de 4 cm de grosor
- 50 g de mantequilla
- 100 ml de vino blanco
- 100 ml de caldo
- harina sin gluten
- perejil
- romero
- limón
- ajo
- pimienta y sal

Se funde la mantequilla en una sartén grande junto con un diente de ajo. Se enharinan los jarretes y se colocan en la sartén después de retirar el ajo. Se doran bien por ambos lados.

Seguidamente, se riegan con el vino y se deja que se evapore; luego se añade un poco de caldo y se cubre la sartén. Se cuece lentamente girando la carne de vez en cuando y añadiendo el resto del caldo. Si es necesario, se salpimienta. El fondo de cocción tiene que ser concentrado.

Mientras tanto, se pican muy finos el perejil, el romero, la corteza de medio limón y un diente pequeño de ajo. Al finalizar la cocción, se reparte la picada sobre los jarretes.

Se sirven regados con su propio jugo y acompañados de risotto o de puré.

Pollo al curry

PREPARACIÓN: 15 minutos
COCCIÓN: 25 minutos
DIFICULTAD: media

Por cada porción
- 410 Kcal
- Prótidos: 19,7 g
- Lípidos: 32 g
- Carbohidratos: 9 g

Ingredientes para 4 personas
- 4 muslos de pollo
- 100 g de cebolla
- 50 g de mantequilla
- 10 g de curry
- 400 ml de caldo
- 200 ml de nata
- 50 ml de vino blanco
- 1 manzana
- aceite de oliva virgen extra
- sal

Se salan y se doran a fuego medio los muslos con un poco de aceite; luego se retiran de la sartén y se mantienen calientes.

A continuación, se retira la grasa, se agrega un poco de mantequilla y se pasa la cebolla picada; luego se añade la manzana cortada en daditos y se deja que tome sabor.

Se añade entonces el curry y se deja tostar ligeramente; se incorpora el pollo y se riega con el vino blanco.

Hay que dejar que el vino se evapore, y a continuación se añade el caldo, se sala y se cuece unos 20 minutos.

Para terminar, se añade la nata y se deja que se reduzca la salsa hasta obtener la consistencia adecuada.

Se sirve caliente.

Albóndigas rebozadas

PREPARACIÓN: 15 minutos
COCCIÓN: 5 minutos
DIFICULTAD: baja

Por cada porción
- 653 Kcal
- Prótidos: 31,7 g
- Lípidos: 53,5 g
- Carbohidratos: 10,7 g

Ingredientes
para 4 personas
- 350 g de carne picada
- 100 g de jamón cocido
- 100 g de pan duro sin gluten
- 50 g de queso grana rallado
- 2 huevos
- nuez moscada
- aceite de oliva virgen extra
- sal

Se ralla muy fino el pan duro (también se puede comprar directamente pan rallado).

Se mezcla en un cuenco un huevo batido, la carne, el jamón picado, el queso rallado, un puñado de pan rallado, la nuez moscada y la sal.

Se remueve bien y se preparan con la masa tantas bolitas como se pueda.

A continuación se bate el huevo restante, se pasan las bolitas por el huevo y luego por el pan rallado sobrante. Se fríen en aceite hirviendo.

Para terminar, se salan y se sirven calientes.

Albóndigas de pavo y requesón

PREPARACIÓN: 10 minutos
COCCIÓN: 40 minutos
DIFICULTAD: baja

Por cada porción
- 346 Kcal
- Prótidos: 29,2 g
- Lípidos: 23,1 g
- Carbohidratos: 5,2 g

Ingredientes
para 4 personas
- 300 g de carne de pavo picada fina
- 300 g de requesón
- 2 lonchas de mortadela
- 1 huevo
- queso grana rallado
- mantequilla
- pimienta y sal

Se mezcla la carne de pavo con el requesón, el huevo batido, la sal, la pimienta y abundante queso grana rallado.

Se da entonces a la masa la forma de albóndigas y se envuelven en las lonchas de mortadela.

A continuación, se atan con hilo de bramante y se hornean a 180 °C aproximadamente durante unos 40 minutos con la nuez de mantequilla.

Pueden servirse calientes o frías.

PREPARACIÓN: 30 minutos
COCCIÓN: 5 minutos
DIFICULTAD: media

Escalopa de salmón con tomate fresco

Por cada porción
- 523 Kcal
- Prótidos: 29,2 g
- Lípidos: 43,2 g
- Carbohidratos: 4 g

Ingredientes
para 4 personas
- 600 g de salmón
- 600 g de tomates
- 100 ml de aceite de oliva virgen extra
- 1 diente de ajo
- 1 manojo de ruca
- tomillo fresco
- pimienta blanca y sal

Para empezar se retiran la espina y la piel del salmón y se corta en cuatro filetes.

Se pica el tomillo y se conservan cuatro ramitas para la guarnición.

Seguidamente, se pela la ruca, se lava y se trocea.

A continuación, se lavan los tomates, se les hacen unos cortes y se escaldan durante 15 segundos en agua hirviendo. Se dejan enfriar, se pelan y se elimina el agua y las semillas. Hay que cortarlos en trocitos.

Se salpimientan las escalopas de salmón. Entonces se cocinan en una sartén antiadherente por ambos lados durante unos minutos.

Mientras tanto, se rehoga a fuego fuerte la pulpa de tomate con aceite, ajo, sal, pimienta, tomillo picado y ruca.

Se coloca el tomate en platos llanos calientes; se disponen luego las escalopas de pescado, se adornan con ramitas de tomillo y se sirven.

PREPARACIÓN: 40 minutos
COCCIÓN: 25 minutos
DIFICULTAD: baja

Pastel de patatas y boquerones

Por cada porción
- 345 Kcal
- Prótidos: 28 g
- Lípidos: 14 g
- Carbohidratos: 27 g

Ingredientes
para 4 personas
- 600 g de patatas
- 400 g de boquerones
- 2 dientes de ajo
- 40 ml de aceite de oliva virgen extra
- orégano, pimienta y sal

Se limpian y filetean los boquerones. Se lavan y se secan.

Se pelan, se lavan y se cortan en rodajas muy finas las patatas; seguidamente, se saltean con aceite y ajo en una sartén antiadherente a fuego fuerte, espolvoreando por encima orégano, pimienta y sal.

Se forra un molde antiadherente bajo y ancho con una capa de patatas, otra de boquerones salpimentados y una tercera también de patatas.

Debe hornearse a 250 °C durante unos 10 minutos.

Fritada de verduras

PREPARACIÓN: 15 minutos
COCCIÓN: 10 minutos
DIFICULTAD: baja

Por cada porción
- 391 Kcal
- Prótidos: 14,5 g
- Lípidos: 28,5 g
- Carbohidratos: 19,7 g

Ingredientes
para 4 personas
- masa para freír (receta pág. 38)
- 5 corazones de alcachofas
- 1 coliflor pequeña
- 2 calabacines
- aceite para freír
- sal

Se lavan y se cortan en gajos los corazones de alcachofa; se hierven brevemente en agua con sal, se escurren y se reservan.

Se lava la coliflor y se divide en ramitas; se cortan en bastoncitos los calabacines.

Se pasan las verduras por la masa y se fríen en aceite hirviendo hasta que estén doradas.

Para terminar, se salan y se sirven calientes.

Ensalada de col

PREPARACIÓN: 5 minutos
DIFICULTAD: baja

Por cada porción
- 162 Kcal
- Prótidos: 10,7 g
- Lípidos: 12,4 g
- Carbohidratos: 2 g

Ingredientes
para 4 personas
- 300 g de berza
- 100 g de queso de oveja curado
- 2 cucharadas de pasta de anchoas
- 1 diente de ajo
- aceite de oliva virgen extra
- vinagre
- pimienta y sal

Se frota el interior de una ensaladera con el diente de ajo pelado.

Se ponen en la ensaladera el queso de oveja en escamas, la pasta de anchoas, aceite, vinagre, pimienta y sal.

Se añade la berza lavada y cortada en tiras finas, se remueve con cuidado y se sirve.

Ensalada mixta con albahaca

Preparación: 20 minutos
Cocción: 15 minutos
Dificultad: baja

Por cada porción
- 367 Kcal
- Prótidos: 13 g
- Lípidos: 28,7 g
- Carbohidratos: 15,1 g

Ingredientes para 4 personas
- 250 g de tomates maduros
- 200 g de mozzarella
- 150 g de lechuga
- 150 g de patatas
- 100 g de zanahorias
- 100 g de rábanos
- 100 g de judías verdes
- 1 manojo de albahaca fresca
- aceite de oliva virgen extra
- pimienta y sal

Se lavan bien las verduras. Se trocean las judías y las patatas y se cuecen al vapor.

A continuación, se colocan en una ensaladera la lechuga, las zanahorias ralladas y los rábanos en rodajitas; se agregan luego las verduras cocidas y la mozzarella en daditos.

Se aliña con aceite, pimienta, sal y abundante albahaca picada. Se mezcla todo y se sirve.

Patatas Duchessa

Preparación: 1 hora con la cocción de las patatas
Cocción: 5 minutos
Dificultad: media

Por cada porción
- 217 Kcal
- Prótidos: 7,8 g
- Lípidos: 11,1 g
- Carbohidratos: 22,6 g

Ingredientes para 4 personas
- 500 g de patatas
- 40 g de queso parmesano
- 20 g de mantequilla
- 1 yema de huevo
- nuez moscada
- pimienta y sal

En primer lugar, se lavan las patatas y se hierven con la piel. Seguidamente, se pelan y se reducen a puré.

Se agrega la yema de huevo, el parmesano, la mantequilla, la sal, la pimienta y la nuez moscada.

Se remueve todo con una espátula y se coloca en una manga pastelera con una boquilla estriada grande.

Se unta con mantequilla una bandeja y se forman con la masa unas figuras con forma de llama.

Se gratinan al horno a 200 °C durante unos minutos.

Se sirven calientes.

Patatas con setas a la sartén

PREPARACIÓN: 1 hora con la cocción de las verduras
COCCIÓN: 5 minutos
DIFICULTAD: media

Por cada porción
- 115 Kcal
- Prótidos: 6 g
- Lípidos: 9,4 g
- Carbohidratos: 1,5 g

Ingredientes para 4 personas
- 600 g de boletos
- 4 patatas
- 100 g de cebolla
- 40 g de mantequilla
- perejil picado
- sal fina

Se lavan las patatas. Se cuecen enteras con la piel y se escurren cuando estén poco hechas. Hay que dejar que se entibien, y después se pelan y se cortan en rodajas.

Se limpian bien las setas, se filetean y se fríen en una sartén con parte de la mantequilla. Se añade sal.

Con el resto de la mantequilla, se doran las patatas en una sartén antiadherente y se añade un poco de sal. Se agregan los boletos y se remueve con cuidado.

Se sirve caliente, con un poco de perejil picado por encima.

Vinagreta al estilo griego

PREPARACIÓN: 15 minutos
COCCIÓN: 10 minutos
DIFICULTAD: baja

Por cada porción
- 145 Kcal
- Prótidos: 8,7 g
- Lípidos: 5,3 g
- Carbohidratos: 18,7 g

Ingredientes para 4 personas
- 200 g de brécol
- 200 g de coliflor
- 200 g de yogur griego
- 50 ml de nata
- 2 pepinos
- 2 zanahorias
- 1 corazón de apio blanco
- 1 hinojo
- 1 diente de ajo
- zumo de limón
- sal

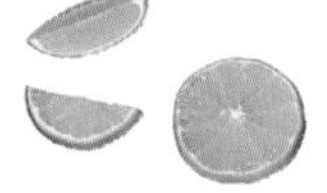

Se limpian, se lavan, se secan y se cortan en bastoncitos las verduras. Se pica el diente de ajo y se mezcla con el yogur y la nata; se agrega sal y unas gotas de limón.

Por último, se vierte la salsa en un cuenco, colocado en el centro del plato de servir, situando en estrella los bastoncitos de verdura.

EL YOGUR

El yogur, derivado de la fermentación de la leche, es un alimento de alto valor biológico, rico sobre todo en proteínas, calcio, fósforo y vitaminas. El añadido de las bacterias lácteas útiles para la preparación industrial del yogur (principalmente el Bulgaricus) produce ácido láctico, que ayuda a la digestión. Elaborado con leche de vaca, oveja, cabra o búfala, se puede consumir al natural o utilizarse en la preparación de dulces, helados y batidos, como condimento para ensaladas y verduras, o como base para salsas aromáticas, o bien para mantecar un risotto sabroso y ligero.

Pisto

PREPARACIÓN: 30 minutos, y 3 horas más para la purga
COCCIÓN: 3 minutos
DIFICULTAD: media

Por cada porción
- 304 Kcal
- Prótidos: 3,7 g
- Lípidos: 29 g
- Carbohidratos: 7,1 g

Ingredientes
para 4 personas
- 300 g de tomates
- 2 calabacines
- 1 berenjena
- 1 pimiento rojo
- 1 chalote
- 28 olivas negras
- 8 hojas de albahaca
- 80 ml de aceite de oliva virgen extra
- pimentón y sal

Se limpian las verduras y se cortan en daditos.

Se sala la berenjena y se deja purgar unas 3 horas para que pierda el agua amarga.

Se hierve el pimiento unos minutos.

Se cortan en daditos los tomates. Se lava la albahaca y se corta en tiras.

A continuación, se saltean rápidamente y por separado todas las verduras en una sartén antiadherente con poco aceite.

Seguidamente, se sofríe en muy poco aceite el chalote junto con la mitad de la albahaca; luego se añaden las verduras, los tomates, las olivas y el pimentón. Por último, se echa sal. Se cuece 2 o 3 minutos.

El plato puede decorarse con algunas hojas de albahaca.

Pudín de berenjenas

PREPARACIÓN: 30 minutos
COCCIÓN: 20 minutos
DIFICULTAD: alta

Por cada porción
- 377 Kcal
- Prótidos: 12 g
- Lípidos: 33 g
- Carbohidratos: 8,5 g

Ingredientes
para 4 personas
- 1 kg de berenjenas
- 150 g de mozzarella
- 100 ml de aceite de oliva virgen extra
- 1 diente de ajo
- 1 huevo
- albahaca
- pimienta y sal

Se lavan y se pelan las berenjenas. Se hierve la piel de las berenjenas y se deja enfriar. Se untan cuatro moldes para horno y se forran con la piel, dejando que desborde.

Se corta entonces la pulpa en daditos y se sofríe en una sartén con aceite y ajo; se retira su jugo y se hace presión para eliminar el exceso de grasa.

Se salpimienta y se tritura la mitad de la pulpa.

Se lava la mozzarella y se corta en daditos, y se limpia y se trocea la albahaca. En un cuenco, se mezclan la pulpa de berenjena triturada, la mozzarella y los daditos de berenjena; luego se añade el huevo batido, la albahaca, la pimienta y la sal.

Por último, se llenan los moldes con la mezcla obtenida y se cierran con las pieles de berenjena que sobresalían del molde.

Hay que hornear el pudín a 160 °C durante 20 minutos.

Se desmolda y se adorna con hojas de albahaca.

Pastel de patatas con leche

PREPARACIÓN: 10 minutos
COCCIÓN: 40 minutos
DIFICULTAD: baja

Por cada porción
- 412 Kcal
- Prótidos: 9,6 g
- Lípidos: 20 g
- Carbohidratos: 51,5 g

Ingredientes
para 4 personas
- 1 kg de patatas
- 300 ml de leche
- 300 ml de nata fresca
- 1 diente de ajo
- nuez moscada
- pimienta y sal

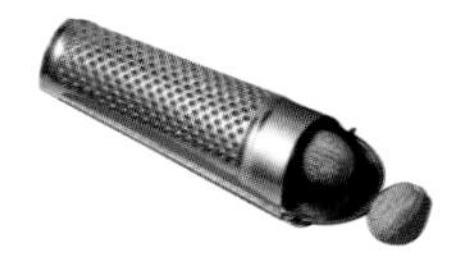

Se lavan y se pelan las patatas. Se tornean un poco para darles una forma regular cilíndrica.

Seguidamente, se cortan en rodajas bastante finas.

Luego, se mezclan la leche, la nata, la pimienta, la sal y la nuez moscada. Se incorpora todo a las patatas y se mezcla bien.

En una bandeja para horno, untada con mantequilla y aromatizada con el ajo, se distribuyen las patatas y el condimento.

Se hornea a temperatura media unos 40 minutos.

Si el pastel estuviera ya hecho pero no lo suficientemente dorado, se puede gratinar. Por el contrario, si estuviera poco hecho y muy dorado, es recomendable cubrirlo con papel parafinado para horno y completar la cocción.

Se sirve caliente.

Calabaza frita

PREPARACIÓN: 10 minutos
COCCIÓN: 10 minutos
DIFICULTAD: baja

Por cada porción
- 342 Kcal
- Prótidos: 6,9 g
- Lípidos: 25,4 g
- Carbohidratos: 21,7 g

Ingredientes
para 4 personas
- 600 g de calabaza
- 100 g de mantequilla
- 50 g de harina sin gluten
- 2 huevos
- 700 ml de leche
- pan rallado sin gluten
- sal

Se pela y se corta en rodajas la calabaza. Luego, se hierve en la leche con un poco de sal, se escurre y se enharina. Se baten los huevos. Se pasan las rodajas por el huevo y por el pan rallado y se fríen en mantequilla espumante.

Debe servirse caliente.

PREPARACIÓN: 10 minutos
COCCIÓN: 10 minutos
DIFICULTAD: media

Profiteroles de chocolate

Por cada porción
- 640 Kcal
- Prótidos: 8,42 g
- Lípidos: 42,7 g
- Carbohidratos: 58,4 g

Ingredientes
para 8 personas
- 50 profiteroles de tamaño medio (receta de pasta choux, pág. 35)
- 600 g de chocolate para fundir
- 500 ml de nata
- 300 g de crema pastelera (receta pág. 109)

Se rellenan los profiteroles con la crema pastelera.

Se hierven 300 ml de nata, se agrega el chocolate para fundir y se bate con un batidor hasta obtener una crema suave.

A continuación, se montan los 200 ml restantes de nata. Se remojan los profiteroles rellenos en la crema de chocolate y se colocan en un platito para servir, decorándolos al gusto con la nata montada.

Bizcochos de Brescia

PREPARACIÓN: 15 minutos, y 30 minutos más para el reposo
COCCIÓN: 20 minutos
DIFICULTAD: media

En total
- 4.037 Kcal
- Prótidos: 48,7 g
- Lípidos: 143 g
- Carbohidratos: 648 g

Ingredientes
- 600 g de harina sin gluten
- 150 g de azúcar
- 150 g de mantequilla
- 120 g de huevos
- 125 ml de leche tibia
- ralladura de la piel de 1 limón
- 2 sobrecitos de levadura

Para empezar, se tamiza la harina con la levadura; luego se añaden el azúcar, la ralladura de limón y la mantequilla y se amasa bien.

A continuación, se baten los huevos en un cuenco junto con la leche y se incorporan a la masa. Se trabaja bien la masa y se deja que repose en la nevera un mínimo de 30 minutos.

Trascurrido ese tiempo, se extiende la masa en una lámina de 1-2 cm de grosor, y se recortan en ella unos rectángulos que se colocan en la placa cubierta de papel para horno.

Deben hornearse a 180 °C durante unos 20 minutos.

Bizcochos blandos de manzana

PREPARACIÓN: 15 minutos
COCCIÓN: 15 minutos
DIFICULTAD: baja

En total
- 2.059 Kcal
- Prótidos: 59,5 g
- Lípidos: 45,9 g
- Carbohidratos: 366 g

Ingredientes
- 500 g de masa para bizcocho (receta pág. 114)
- 300 g de manzanas
- canela

Se pelan las manzanas y se elimina el corazón; se cortan en daditos. Seguidamente, se añaden a la masa para bizcocho junto con una pizca de canela.

A continuación, se reparte la mezcla en varios moldes pequeños redondos, untados con mantequilla.

Hay que hornearlos a 180 °C durante unos 15 minutos. Se sirven fríos o tibios.

PREPARACIÓN: 20 minutos
COCCIÓN: 20 minutos
DIFICULTAD: media

Carquiñoles de almendras

En total
- 5.689 Kcal
- Prótidos: 95,8 g
- Lípidos: 158,5 g
- Carbohidratos: 977 g

Ingredientes
- 500 g de harina sin gluten
- 500 g de azúcar
- 250 g de almendras peladas
- 250 g de huevos
- 50 g de miel
- 50 ml de licor de anís
- 2 sobrecitos de levadura para dulces
- aroma de vainilla

Se mezclan primero la harina, la levadura, el azúcar y el aroma de vainilla. Seguidamente, se trocean las almendras y se incorporan a la mezcla. Luego se añaden la miel, el licor de anís y los huevos.

Se amasa y se forman cilindros alargados y estrechos; luego se cortan en rodajas y se colocan sobre la placa de horno, cubierta con papel para hornear.

A diferencia de los carquiñoles «originales», es preferible cortarlos antes de hacerlos.

Deben hornearse a 180 °C durante unos 20 minutos.

Los carquiñoles pueden elaborarse también sustituyendo las almendras por una cantidad similar de pistachos y gotas de chocolate.

Charlotte helada

PREPARACIÓN: 20 minutos, y 2 horas más para el reposo
DIFICULTAD: media

Por cada porción
- 401 Kcal
- Prótidos: 6,8 g
- Lípidos: 18,1 g
- Carbohidratos: 50,6 g

Ingredientes
para 6 personas
- 250 g de bizcocho (receta pág. 114)
- 150 g de nata montada poco azucarada
- 150 g de helado de vainilla
- 150 g de helado de chocolate
- 150 g de helado de pistacho
- 100 ml de agua
- 50 g de azúcar
- 50 ml de ron oscuro

Se prepara primero un almíbar con el agua, el azúcar y el ron.

Se corta seguidamente el bizcocho en tiras no demasiado gruesas y se utiliza para forrar un molde para charlotte, dejando que las tiras desborden; se empapan con el almíbar.

A continuación se rellena la charlotte con capas alternadas de helado, se pliegan las partes sobrantes de bizcocho y se deja en el congelador al menos 2 horas antes de servir.

En el momento de servir, se decora con la nata montada y, al gusto, con fideos de chocolate, pequeños merengues u otros productos.

Roscón

PREPARACIÓN: 15 minutos
COCCIÓN: 40 minutos
DIFICULTAD: media

En total
- 2.850 Kcal
- Prótidos: 44,4 g
- Lípidos: 121,7 g
- Carbohidratos: 403,9 g

Ingredientes
- 300 g de harina sin gluten
- 150 g de azúcar
- 150 g de huevos
- 100 ml de aceite de maíz
- 100 g de yogur
- 70 g de clara de huevo
- 1 sobrecito de levadura para dulces

Se montan los huevos enteros con el azúcar hasta obtener una mezcla espumosa.

Se agregan luego el aceite en chorrito y el yogur.

Se añade a la mezcla la harina tamizada junto con la levadura. Se bate bien hasta obtener una mezcla homogénea.

Se monta entonces la clara a punto de nieve y se añade también a la mezcla.

Se unta con mantequilla y se forra con papel para horno un molde para roscones; se unta con mantequilla también el papel para horno; se vierte la mezcla en el molde y se nivela bien la superficie.

Finalmente, se hornea a 180 °C unos 40 minutos.

Es posible sustituir 50 g de harina por cacao amargo, coco en polvo o bien harina de avellanas, almendras o pistachos. Además, también se puede aromatizar la masa con ralladura de piel de naranja o de limón, vainillina u otros aromas, al gusto.

Crema de mantequilla

PREPARACIÓN: 5 minutos
DIFICULTAD: baja

En total
- 5.700 Kcal
- Prótidos: 19,4 g
- Lípidos: 310 g
- Carbohidratos: 717 g

Ingredientes
- 250 g de mantequilla
- 500 g de azúcar
- 300 g de chocolate para fundir
- 75 ml de licor al gusto

Se muele el azúcar para que se convierta en glas.

Se monta la mantequilla con el azúcar glas. Cuando la mezcla resulte espumosa, se añade el licor y se incorpora el chocolate previamente fundido al baño María y enfriado, prácticamente en estado sólido (no se puede correr el riesgo de fundir la mantequilla).

Se remueve bien la mezcla.

Es posible preparar la crema de color blanco si no se agrega chocolate.

PREPARACIÓN: 10 minutos
COCCIÓN: 2 minutos
DIFICULTAD: baja

Crema chantilly

En total
- 1.404 Kcal
- Prótidos: 35,6 g
- Lípidos: 41,06 g
- Carbohidratos: 235,5 g

Ingredientes
- 2 yemas de huevo
- 80 g de azúcar
- 20 g de harina sin gluten
- 250 ml de leche semidesnatada
- 400 ml de nata
- 1 sobrecito de vainillina

Se montan las yemas junto con el azúcar; se agrega la vainillina, se añade la harina y se diluye con la leche llevada a ebullición.

Seguidamente, se pone al fuego la mezcla obtenida, sin dejar de remover. Cuando la crema empieza a espesar, debe dejarse al fuego 2 minutos más.

Pasado ese tiempo, hay que retirarla del fuego y dejar que se enfríe, removiendo para evitar que se forme una película en la superficie.

A continuación se introduce la crema en la nevera y se deja que se vuelva muy fría.

Luego se monta la nata, que tiene que estar también muy fría, y se bate con un batidor junto con la crema, mediante un delicado movimiento de abajo arriba.

Crema pastelera

PREPARACIÓN: 5 minutos
COCCIÓN: 2 minutos
DIFICULTAD: baja

En total
- 1.404 Kcal
- Prótidos: 35,6 g
- Lípidos: 41,06 g
- Carbohidratos: 235,5 g

Ingredientes
- 5 yemas
- 170 g de azúcar
- 40 g de harina sin gluten
- 500 ml de leche semidesnatada
- 1 sobrecito de vainillina

En primer lugar, se lleva la leche a ebullición; mientras hierve, se montan las yemas con el azúcar, se agrega la vainillina, se añade después la harina y, por último, se diluye con la leche hirviendo.

Hay que poner al fuego la mezcla así obtenida, sin dejar de remover. Cuando la crema empiece a espesar, debe dejarse cocer 2 minutos más.

Entonces se retira del fuego y se deja enfriar removiendo para evitar que se forme una película en la superficie.

Es posible aromatizar la crema con cacao amargo, café, almendras, pistachos, vainilla, etc. Para preparar una crema aromatizada al limón, se puede añadir a la crema pastelera fría el zumo de 2 limones. También es posible cocinar la crema en el microondas; en tal caso se tienen que mezclar todos los ingredientes en un recipiente adecuado, cocerla a unos 750 W durante 3 minutos, remover bien y cocerla a la misma potencia hasta que la crema está casi espesa. Por último, hay que dejarla reposar un par de minutos y, seguidamente, removerla.

Tarta de frutas del bosque

PREPARACIÓN: 10 minutos, más el tiempo para el reposo
COCCIÓN: 35 minutos
DIFICULTAD: media

Por cada porción
- 483 Kcal
- Prótidos: 9 g
- Lípidos: 21,8 g
- Carbohidratos: 67,8 g

Ingredientes para 6 personas

PARA LA BASE
- 500 g de pastaflora
- canela en polvo

PARA EL RELLENO
- 200 g de crema pastelera
- 50 g de gelatina de albaricoque
- 1 cestita de arándanos
- 1 cestita de frambuesas
- 1 cestita de fresas

En primer lugar, se añade una cucharadita de canela a la pastaflora.

Después se deja reposar la pasta, se extiende y se forra con ella una tortera previamente revestida con papel para horno enharinado.

A continuación se hornea a 180 °C unos 35 minutos.

Luego, se deja enfriar y se unta con una capa de crema pastelera, sobre la cual se disponen las frutas del bosque alternándolas según los colores.

Por último, se pinta con gelatina de albaricoque disuelta en agua hirviendo para que se distribuya uniformemente sobre la fruta.

Tarta de limón

PREPARACIÓN: 15 minutos
COCCIÓN: 40 minutos
DIFICULTAD: media

Por cada porción
- 771 Kcal
- Prótidos: 8,2 g
- Lípidos: 41,1 g
- Carbohidratos: 94,1 g

Ingredientes para 6 personas

PARA LA BASE
- 500 g de pastaflora

PARA LA TARTA
- 125 g de harina sin gluten
- 125 g de azúcar
- 125 g de margarina
- 125 g de huevos
- medio sobrecito de levadura
- ralladura de piel de limón

PARA EL RELLENO
- mermelada de limones
- almendras en filetes

Se monta la margarina reducida a copos con el azúcar, hasta obtener una mezcla espumosa.

Se añaden, sin dejar de remover, los huevos y la ralladura de limón.

A continuación, se agrega la harina tamizada junto con la levadura y se remueve bien.

Hay que cubrir una tortera con papel para horno, sacar de la nevera el panecillo de pastaflora y extenderlo hasta forrar la tortera.

Después se unta el fondo de la tarta con la mermelada y se esparcen por encima los trocitos de almendra.

Para terminar se vierte la masa sobre la pastaflora, se nivela y se hornea a 180 °C durante unos 40 minutos.

Tarta de frutas

PREPARACIÓN: 10 minutos, más el reposo
COCCIÓN: 35 minutos
DIFICULTAD: media

Por cada porción
- 521 Kcal
- Prótidos: 6,7 g
- Lípidos: 21,8 g
- Carbohidratos: 76,8 g

Ingredientes para 6 personas

PARA LA BASE
- 500 g de pastaflora (receta pág. 34)

PARA EL RELLENO
- 200 g de crema de limón (receta pág. 109)
- 50 g de gelatina de albaricoque
- 2 kiwis
- 1 cestita de fresas
- 1 racimo de uvas
- 1 naranja
- 1 mandarina

Después de dejar reposar la pastaflora en la nevera, se extiende y se forra con ella una tortera previamente cubierta con papel para horno untado con mantequilla.

Se hornea durante unos 35 minutos con el horno caliente a 180 °C.

Mientras tanto, se lavan, se pelan y se secan las frutas.

Se deja que la tarta se enfríe; después se distribuye sobre la pastaflora una capa de crema de limón, y luego se decora con la fruta fresca alternándola en función de la forma, el color y las dimensiones.

Finalmente, se pinta con la gelatina de albaricoque disuelta en agua hirviendo para que quede uniformemente distribuida sobre la fruta.

Tarta de almendras y cerezas

PREPARACIÓN: 10 minutos, más el reposo
COCCIÓN: 35 minutos
DIFICULTAD: media

Por cada porción
- 698 Kcal
- Prótidos: 6,8 g
- Lípidos: 28,3 g
- Carbohidratos: 64,3 g

Ingredientes para 6 personas

PARA LA BASE
- 500 g de pastaflora (receta pág. 34)
- 1 cucharadita de canela en polvo

PARA EL RELLENO
- 450 g de cerezas en almíbar
- 100 g de almendras en filetes

Se mezclan la pastaflora y la canela.

Después de dejar reposar la pasta, se extiende y se forra con ella una tortera previamente cubierta con papel para horno untado con mantequilla.

Seguidamente, se disponen sobre la pasta las cerezas en almíbar (hay que escurrirlas con cuidado) mezclándolas con los trocitos de almendras.

Se tiene que hornear con el horno caliente a 180 °C unos 35 minutos.

Milhojas

PREPARACIÓN: 15 minutos
COCCIÓN: 20 minutos
DIFICULTAD: alta

Por cada porción
- 411,7 Kcal
- Prótidos: 3,5 g
- Lípidos: 23,5 g
- Carbohidratos: 192 g

Ingredientes
para 4 personas
- 200 g de hojaldre (receta pág. 38)
- 200 g de crema pastelera (receta pág. 109)
- 50 g de azúcar glas

Para empezar, se extiende el hojaldre con un grosor de medio centímetro aproximadamente; se recortan dos rectángulos iguales y se conservan los restos de pasta.

Seguidamente, se disponen las tiras y los restos sobre una placa cubierta con papel para horno y se hornea a 180 °C unos 20 minutos.

Se deja enfriar. Luego se coloca una tira de pasta sobre una bandeja; se cubre con crema pastelera y se coloca encima la segunda tira.

A continuación se nivelan los lados y se cubren con los trozos sobrantes de pasta desmenuzados. Para servir, se espolvorea con azúcar glas.

Bizcocho

PREPARACIÓN: 30 minutos
COCCIÓN: 20 minutos
DIFICULTAD: alta

En total
- 1.924 Kcal
- Prótidos: 58,9 g
- Lípidos: 45 g
- Carbohidratos: 333,7 g

Ingredientes para 2 discos
- 400 g de huevos
- 150 g de azúcar
- 150 g de harina sin gluten

Se baten durante un buen rato los huevos junto con el azúcar para obtener una mezcla blanca y espumosa: es importante incorporar la mayor cantidad de aire posible.

Se vierte luego en forma de lluvia la harina, removiendo de abajo arriba, con cuidado de no cortar la mezcla.

A continuación, se vierte esta en dos fuentes con el fondo cubierto con papel para horno untado con mantequilla.

Debe hornearse a 180 °C unos 20 minutos sin abrir el horno.

Para preparaciones que prevean el uso de bizcocho relleno o enrollado (brazos de gitano, redondeles) se extiende la mezcla en placas cubiertas con papel para horno untado con mantequilla con cuidado de no superar el grosor de 1 cm.

Bizcocho de cacao

PREPARACIÓN: 30 minutos
COCCIÓN: 20 minutos
DIFICULTAD: media

En total
- 1.852 Kcal
- Prótidos: 66,04 g
- Lípidos: 53,9 g
- Carbohidratos: 282,5 g

Ingredientes para 2 discos
- 400 g de huevos
- 150 g de azúcar
- 150 g de harina sin gluten
- 35 g de cacao amargo

Se baten durante un buen rato los huevos junto con el azúcar para obtener una mezcla blanca y espumosa: es importante incorporar la mayor cantidad de aire posible.

Se tamiza la harina con el cacao y se vierte en forma de lluvia sobre los huevos, removiendo con cuidado de abajo arriba y procurando que no se corte la mezcla.

Se vierte esta en dos fuentes con el fondo cubierto con papel para horno untado con mantequilla y, finalmente, se hornea a 180 °C unos 20 minutos sin abrir el horno.

Savarín al Grand Marnier

PREPARACIÓN: 15 minutos, y 1 hora más para la fermentación
COCCIÓN: 15 minutos
DIFICULTAD: media

Por cada porción
- 405 Kcal
- Prótidos: 3,7 g
- Lípidos: 13,7 g
- Carbohidratos: 63 g

Ingredientes para 4 personas
- 250 g de masa para brioches (receta pág. 35)
- 100 g de mermelada de albaricoque
- 50 g de azúcar
- 100 ml de nata montada azucarada
- 100 ml de agua
- 50 ml de licor tipo Grand Marnier

Se obtienen primeramente de la masa para brioches tiras de unos 10 cm de longitud y un dedo de grosor. Se colocan en los moldes para roscas cubiertos con papel para horno y se dejan fermentar en un lugar tibio aproximadamente 1 hora.

Trascurrido este tiempo, se hornean a 180 °C durante 15 minutos y luego se dejan enfriar.

Se prepara mientras tanto un almíbar con el agua, el azúcar y el Grand Marnier.

Se desmoldan los savarines ya fríos y se remojan en el almíbar.

Para terminar, se disuelve a fuego lento la mermelada de albaricoque y se pintan con ella los savarines para darles brillo. Se pueden decorar con nata montada.

Strudel de fruta con canela

PREPARACIÓN: 45 minutos con la cocción de las frutas
COCCIÓN: 40 minutos
DIFICULTAD: alta

Por cada porción
- 547 Kcal
- Prótidos: 11 g
- Lípidos: 24,1 g
- Carbohidratos: 67,6 g

Ingredientes
para 6 personas

PARA LA PASTA
- 300 g de hojaldre

PARA EL RELLENO
- 300 g de manzanas golden
- 150 g de plátano
- 150 g de bizcochos secos sin gluten
- 100 g de piñones
- 75 g de mantequilla
- 75 g de azúcar
- 75 ml de Calvados
- canela en polvo
- azúcar glas

Se pelan las manzanas y se cortan en daditos. Luego, se sofríen en la mantequilla las manzanas, el plátano cortado en rodajas y los piñones. A continuación, se añaden el azúcar y el Calvados. Después de flambear y poner a fuego fuerte unos 10 minutos, se deja entibiar.

Se extiende la lámina bastante fina de hojaldre, se humedecen los bordes, se esparcen por encima bizcochos secos desmenuzados y se coloca el relleno de fruta. Por último, se espolvorea canela y se enrolla.

Se hornea a 180 °C unos 40 minutos. Para servir, se espolvorea azúcar glas.

Es posible preparar el strudel también con peras, ciruelas, melocotones o albaricoques.

Pastel de patatas

PREPARACIÓN: 1 hora con la cocción de las patatas
COCCIÓN: 25 minutos
DIFICULTAD: media

Por cada porción
- 335 Kcal
- Prótidos: 7,2 g
- Lípidos: 9,5 g
- Carbohidratos: 57,8 g

Ingredientes
para 8 personas
- 1 kg de patatas
- 180 g de azúcar
- 100 g de harina sin gluten
- 50 g de mantequilla
- 250 ml de leche semidesnatada
- 4 huevos
- sal
- 1 sobrecito de levadura
- ralladura de piel de limón

Se hierven en agua con sal las patatas sin pelar; se dejan enfriar y se pelan. Seguidamente, se pasan por el pasapurés.

Se recoge el puré obtenido en una cacerola junto con la mantequilla y la leche tibia; hay que poner la mezcla al fuego removiendo hasta que la leche haya sido absorbida; después se retira del fuego. A continuación, se añaden a la mezcla caliente el azúcar, la harina, la levadura, 3 yemas de huevo y la ralladura de limón. Se montan 3 claras a punto de nieve muy firme (se aconseja añadir una pizca de sal a las claras antes de empezar a batirlas) y se incorporan a la mezcla, trabajando con mucha delicadeza.

Por último, se forra una tortera con papel para horno untado con mantequilla y se vierte en ella la mezcla; se nivela y se pinta con un poco de huevo batido.

Debe hornearse a 180 °C unos 25 minutos, hasta que la superficie adquiera una tonalidad dorada.

Pastel festivo

PREPARACIÓN: 30 minutos
DIFICULTAD: baja

Por cada porción
- 291 Kcal
- Prótidos: 6 g
- Lípidos: 16,6 g
- Carbohidratos: 49,8 g

Ingredientes
para 8 personas
- 350 g de bizcocho
- 200 g de crema pastelera
- 20 g de azúcar
- 250 ml de nata montada azucarada
- 100 ml de agua
- 50 ml de licor
- fruta fresca y virutas de chocolate para decorar

Se prepara un almíbar mezclando el agua, el azúcar y el licor.

Se corta el bizcocho en tres capas.

Se empapa la primera capa con el almíbar y se cubre con una superficie fina de crema pastelera; luego se coloca la segunda capa, se empapa en almíbar y se unta con crema.

Tras cubrir la última capa, se empapa nuevamente con almíbar y se completa cubriéndolo con nata montada.

Se decora al gusto con virutas de chocolate y fruta fresca.

PREPARACIÓN: 15 minutos
COCCIÓN: 45 minutos
DIFICULTAD: media

Pastel de trigo sarraceno

Por cada porción
- 858 Kcal
- Prótidos: 14,5 g
- Lípidos: 47,3 g
- Carbohidratos: 99 g

Ingredientes
para 8 personas
- 250 g de harina de trigo sarraceno
- 250 g de azúcar
- 250 g de mantequilla
- 250 g de almendras picadas
- 6 huevos
- 1 sobrecito de azúcar vainillada
- sal
- 500 g de mermelada de arándanos rojos
- azúcar para decorar

Se trabaja la mantequilla con la mitad del azúcar hasta reducirla a una crema.

Se agregan las yemas de una en una; luego, se incorporan la harina, el azúcar vainillado y las almendras picadas.

A continuación, se montan las claras a punto de nieve, se añade el resto del azúcar poco a poco y se mezclan las claras con la crema anterior.

Se vierte la masa resultante en una tortera cubierta con papel para horno y se hornea a 180 °C durante 45 minutos.

Debe dejarse enfriar y rellenarse con mermelada.

Para decorarlo, es recomendable moler el azúcar para convertirlo en azúcar glas y espolvorearlo por encima del pastel.

Para acompañar este pastel, resulta muy adecuada una macedonia con fresas y menta, condimentada con abundante zumo de limón y azúcar.

Pastel diplomático

PREPARACIÓN: 20 minutos, y 3 horas más para que enfríe
COCCIÓN: 20 minutos
DIFICULTAD: media

Por cada porción
- 417 Kcal
- Prótidos: 4,5 g
- Lípidos: 20,6 g
- Carbohidratos: 55,1 g

Ingredientes para 6 personas
- 250 g de hojaldre (receta pág. 38)
- 200 g de crema pastelera (receta pág. 109)
- 150 g de bizcocho (receta pág. 114)
- 100 g de azúcar
- 100 ml de agua
- 50 ml de alquermes

Se extiende la lámina de hojaldre con un grosor de 1 cm aproximadamente; se recortan dos cuadrados iguales y se hornean durante 20 minutos a 180 °C. Deben dejarse enfriar completamente.

Después se prepara un almíbar hirviendo el agua con 50 g de azúcar; se agrega el alquermes y se deja enfriar.

A continuación, se coloca en una bandeja un cuadrado de pasta, se cubre con la mitad de la crema pastelera, se coloca encima el bizcocho y se empapa con el almíbar.

Se cubre con el resto de la crema y se coloca encima el segundo cuadrado de hojaldre vuelto del revés. Se muele el resto del azúcar para que sea azúcar glas y se espolvorea.

Este dulce debe refrigerarse en la nevera al menos 3 horas antes de servirse.

Tarta de queso

PREPARACIÓN: 20 minutos
COCCIÓN: 45 minutos
DIFICULTAD: alta

Por cada porción
- 806 Kcal
- Prótidos: 11,6 g
- Lípidos: 27,8 g
- Carbohidratos: 130,9 g

Ingredientes para 6 personas

PARA LA BASE
- 500 g de pastaflora

PARA EL RELLENO
- 250 g de harina sin gluten
- 250 g de requesón
- 250 g de azúcar
- 2 huevos
- 1 sobrecito de levadura
- ralladura de piel de naranja
- sal

Se trabaja en un cuenco el requesón junto con el azúcar; se añaden las yemas y la ralladura de naranja.

Se mezcla la harina con la levadura y se agrega la mezcla obtenida a la masa de requesón con un tamiz o un colador. Seguidamente, se montan a punto de nieve firme las claras y se incorporan a la mezcla trabajando con extrema delicadeza.

Se saca de la nevera la masa de la pastaflora después de dejarla reposar, se extiende y se forra con ella una tortera revestida con papel para horno untado con mantequilla. Debe reservarse un poco de masa.
Se vierte la mezcla de requesón sobre la base de pastaflora.

Con la pasta reservada se forman unas tiras y, con ellas, una especie de rejilla sobre la crema de requesón. Debe hornearse a 170 °C durante unos 45 minutos.

Es posible enriquecer la crema de requesón con gotas de chocolate.

PREPARACIÓN: 45 minutos, y más tiempo para que enfríe
COCCIÓN: 1 hora
DIFICULTAD: alta

Tarta Sacher

Por cada porción
- 1.195 Kcal
- Prótidos: 17 g
- Lípidos: 71,5 g
- Carbohidratos: 127 g

Ingredientes
para 6 personas
- 500 g de chocolate para fundir
- 450 g de huevos
- 250 g de mantequilla
- 250 g de azúcar
- 230 g de harina sin gluten
- 1 sobrecito de levadura para dulces
- mermelada de albaricoque o de fresa

Se funden al baño María 350 g de chocolate para fundir y se deja que se entibie en el baño María.

Se trabaja la mantequilla con el azúcar hasta obtener una mezcla cremosa. Se añade el chocolate tibio.

Se incorporan entonces a la mezcla las yemas de una en una, reservando las claras en un cuenco.

Seguidamente, se montan las claras a punto de nieve bien firme y se agregan a la mezcla.

A continuación, se mezcla la harina con la levadura y se añaden a la mezcla con un tamiz o un colador. Hay que remover con cuidado.

Se forra una tortera con papel para horno untado con mantequilla, se vierte la masa en ella y se nivela en una capa uniforme.

Entonces se hornea a 180 °C durante 1 hora aproximadamente.

Trascurrido ese tiempo, se desmolda el pastel en una parrilla y se deja enfriar.

Cuando se haya enfriado, se divide en dos mitades, se unta la inferior con una capa de mermelada y se vuelve a recomponer el pastel.

Para preparar el glaseado hay que fundir el resto del chocolate al baño María, verterlo sobre una superficie de mármol y trabajarlo con una espátula mientras se enfría. Luego se recoge nuevamente en la cacerola y se funde de nuevo al baño María, sin dejar de remover.

Finalmente, se coloca el pastel en una bandeja y se extiende el glaseado con una espátula desde el centro del pastel hacia el borde, de manera que quede uniformemente cubierto.

Hay que hacer que el glaseado se solidifique durante unas horas antes de servir el pastel.

Índice de recetas

RECETAS DE BASE

ENTREMESES, TENTEMPIÉS Y TARTAS SALADAS

PRIMEROS PLATOS

SEGUNDOS PLATOS

VERDURAS

POSTRES

Impreso en España por
GRAFILUR
Avda. Cervantes, 51
48970 Basauri